Vous et vos impôts

Vous et vos impôts

Adapté et mis à jour par
Michel Durand, avocat

Fondateur : **Stéphane Leroy**
Président et éditeur: **Me Michel Durand**
Vice-Président, Communications : **André Debray**
Illustrations : **Stéphane Jorisch**
Illustration de la couverture : **Jasmin Simard**
Maquette de la couverture et mise en page : **Mégatexte inc.**

Me Gisèle Archambault, François Brouard, CA, Danielle Bellemare, CGA, Me Roland Colpron, Johanne Leduc-Dallaire, CGA, Me Sylvie Lévesque, André Lortie, CA, Michel Matifat, CA, Yves Renaud, CA, et Michel Richer, CA, ont collaboré à la rédaction des textes d'origine. Ces textes ont été modifiés, adaptés et mis à jour en 1992 et 1993 par Danielle Bellemare, CGA, et Yves Renaud, CA, en 1994 par Yves Renaud, CA, en collaboration avec Me Julie Boulanger, notaire, M.Fisc. en 1995 par Yves Renaud, CA, en collaboration avec Danielle Bellemare, CGA. et en 1996 par Me Michel Durand.

Dans cet ouvrage, l'utilisation du masculin pour désigner des personnes
a comme seul but d'alléger le texte et de représenter sans discrimination
les individus des deux sexes.

Les renseignements contenus dans ce guide sont à jour en septembre 1996.
L'Éditeur ne se porte pas nécessairement garant des produits et des services annoncés dans le
présent guide.

Vous et vos impôts
guide thématique Actif No 19
(réf. abonnements No 62)

Renseignements et abonnement
Édibec inc.
2251, boul. Shevchenko
LaSalle (Québec) H8N 2Y8
Téléphone : (514) 366-4436 / Télécopieur : (514) 366-4495

Abonnement
1 an / 5 guides thématiques Actif 44,50 $
2 an / 10 guides thématiques Actif 69,50 $
(toutes taxes incluses)
Prix sujet à changement sans préavis

Distribution
Les messageries ADP
Courrier de deuxième classe - Enregistrement no 8007
Port payé à Montréal. – Publié 5 fois l'an.
ISBN 2-921659-19-0   ISSN 0840-657 X

Dépôt légal/4e trimestre 1996
Bibliothèque nationale du Québec – Bibliothèque nationale du Canada

Table des matières

DEUXIÈME PARTIE : Vos déclarations de revenus 1995

Introduction

Plus de 45 % de vos revenus imposables au-dessus de 30 000 $ profitent à l'État. Pourquoi payer autant si vous pouvez payer moins ?

La première partie de ce livre vous présente les différents abris fiscaux : régime enregistré d'épargne-retraite, régime d'épargne-actions, actions accréditives, Fonds de solidarité des travailleurs du Québec et Fonds de développement de la Confédération des syndicats nationaux pour la coopération et l'emploi (Fondation), société de placement dans l'entreprise québécoise et régime d'investissement coopératif. À l'aide de tableaux, d'exemples et de conseils, vous serez en mesure de décider où, quand et combien investir et pour quelle économie d'impôt.

La deuxième partie de ce livre décrit les allégements fiscaux que vous pourrez réclamer en produisant vos déclarations de revenus 1996 au printemps prochain. Dans un premier temps, on explique les allégements qui sont offerts à tous les contribuables, indépendamment du type de revenu ou de la situation familiale. Viennent ensuite les allégements fiscaux qui s'attachent à votre type de revenu, à votre situation familiale et ceux qui vous touchent plus particulièrement si vous êtes un aîné, un étudiant ou une personne handicapée. Finalement, le traitement fiscal réservé aux revenus provenant de vos placements, de vos immeubles locatifs et de vos résidences est illustré afin que vous puissiez prendre les bonnes décisions ou tirer le meilleur parti de celles qui sont déjà prises.

Un lexique vous permet de toujours rester sur la bonne voie en donnant aux termes leur sens «fiscal». De plus, les principales mesures fiscales annoncées par les gouvernements en 1995 et 1996 et qui concernent vos impôts 1996 y sont mises en lumière.

PREMIÈRE PARTIE

Investissez pour réduire vos impôts

CHAPITRE 1

Le point sur les abris fiscaux

En 1996, les Québécois demeurent lourdement imposés sur leurs revenus bruts. En fait, chaque dollar gagné au-dessus de 29 590 $ de revenus imposables est imposé à au moins 45,95 %. Ce taux d'impôt marginal fédéral-provincial atteint 52,94 % pour les revenus excédant 62 200 $. Un abri fiscal pourrait peut-être vous permettre de réduire vos impôts. C'est encore le temps d'y penser.

Par ailleurs, si vous avez déjà investi dans un abri fiscal, sachez profiter au maximum des avantages qu'il peut vous offrir! Un abri fiscal est d'abord et avant tout un investissement qui comporte généralement un risque et auquel sont attachés certains allégements fiscaux. Son coût d'acquisition est déductible, en tout ou en partie, de votre revenu ou il vous permet de bénéficier de crédits d'impôt.

Attention! Les avantages fiscaux que procure un abri fiscal ne doivent pas vous aveugler. Un abri fiscal demeure un placement dont le rendement doit être évalué en proportion du risque qu'il comporte, et ce, sans tenir compte de l'aspect fiscal.

La disparition et la baisse de popularité de certains abris fiscaux ont marqué la fin des années quatre-vingt et le début des années quatre-vingt-dix. De plus, les gouvernements ont adopté des mesures pouvant réduire l'épargne escomptée, soulevant ainsi la méfiance des investisseurs. On n'a qu'à penser aux pertes nettes cumulatives sur placements (PNCP), à l'impôt minimum de remplacement (IMR) et à l'élimination de l'exonération cumulative des gains en capital de 100 000 $.

Toutes ces règles vous obligent à agir avec vigilance au moment du choix d'un abri fiscal pour épargner le maximum d'impôt, ce qui est encore possible pour 1996!

Le régime enregistré d'épargne-retraite (REÉR)

Le REÉR est un régime d'épargne en vue de la retraite. Il permet de reporter le paiement de l'impôt à une année ultérieure et d'accumuler un capital à l'abri du fisc. Ce produit est disponible auprès des sociétés d'assurance-vie, des sociétés de fiducie, des banques, des caisses d'épargne ou caisses de crédit et des courtiers en valeurs mobilières.

■ Les avantages

Les contributions versées à un REÉR peuvent être déduites de votre revenu. De plus, les revenus produits par les sommes accumulées (intérêts, dividendes ou gains en capital) ne sont pas imposables annuellement. Ces sommes sont imposées seulement à la date du retrait du REÉR, au taux d'imposition applicable à ce moment-là.

■ La date et les limites permises

Vous pouvez contribuer à un REÉR au cours de l'année d'imposition ou dans les 60 jours suivant l'expiration de l'année. Ainsi, le 1er mars 1997 constitue la date limite pour l'année d'imposition 1996. Un dépôt effectué plus tôt dans l'année rapporte toutefois des revenus à l'abri de l'impôt sur une période plus longue.

En 1996, la limite des cotisations est de 18 % de votre revenu gagné en 1995, jusqu'à concurrence de 13 500 $[1].

Dans le cadre d'un régime autogéré, les contributions ne sont pas obligatoirement effectuées sous forme monétaire. Il est possible de transférer dans ce type de REÉR des placements tels des actions, des obligations, etc. Les mêmes limites de cotisation doivent cependant être respectées, en fonction de la valeur marchande des placements.

Vous êtes d'ailleurs réputé les avoir vendus pour cette somme, ce qui peut entraîner un gain en capital. La perte réalisée lors du transfert n'est toutefois pas reconnue par le fisc.

Si vous participez à un régime de retraite auquel contribue votre employeur, votre «facteur d'équivalence» doit être soustrait de votre limite de contribution. Ce facteur d'équivalence est indiqué sur le feuillet de renseignements T4 de l'année 1995, à la case 52.

Dans le cas d'un régime de pension agréé (RPA) à cotisations déterminées ou d'un régime de participation différée aux bénéfices (RPDB), le facteur d'équivalence correspond globalement aux sommes investies dans le régime en 1995 par vous et votre employeur. Si vous êtes membre d'un RPA à prestations déterminées, le calcul est plus compliqué. Le facteur d'équivalence est établi en fonction de la valeur de la rente qui sera versée à la retraite. Il varie en fonction de votre salaire et de la générosité du fonds de pension de l'employeur.

À noter. Le montant de la contribution que vous pouvez verser à votre REÉR en 1996 est généralement indiqué à la rubrique «État du maximum déductible au titre des REÉR pour 1996» de l'avis de cotisation expédié par Revenu Canada pour l'année 1995.

▼ *Exemple*

Le facteur d'équivalence indiqué sur le feuillet T4 que Charles a reçu de son employeur pour l'année 1995 est de 7 000 $ et son revenu gagné en 1995 est de 50 000 $. Il peut verser jusqu'à 2 000 $ dans un REÉR en 1996 :

Limite de contribution
Le moindre de :
13 500 $ ou
18 % X 50 000 $ = 9 000 $ 9 000 $

Moins :
Facteur d'équivalence   7 000 $
Contribution permise   2 000 $

Les contributions excédentaires au REÉR

Les contributions au REÉR excédant les limites admissibles à la déduction sont soumises à une pénalité de 1 % par mois. Toutefois, jusqu'au 27 février 1995, aucune pénalité ne s'appliquait aux premiers 8 000 $ de contribution excédentaire. Depuis janvier 1996, la somme permise d'excédent est réduite à 2 000 $.

Si, au 1er janvier 1996, vous aviez des contributions excédentaires de plus de 2 000 $ versées avant le 27 février 1995, vous n'avez pas à les retirer de votre REÉR et ne serez pas pénalisé.

Toutefois, avant de contribuer de nouveau à votre REÉR, chaque année, vous devrez réduire progressivement vos contributions excédentaires de la somme correspondant à la somme que vous pouvez verser à votre REÉR pour l'année en question, tant qu'elles excéderont la limite permise de 2 000 $.

Par ailleurs, si, au 1er janvier 1996, vous aviez des contributions excédentaires de plus de 2 000 $ versées après le 26 février 1995, vous devrez les retirer de votre REÉR avant la fin de 1997 pour éviter d'être pénalisé.

■ Le report des déductions inutilisées

Le fait de ne pas contribuer à votre REÉR pour une année ne vous empêche pas de le faire subséquemment. En effet, lorsque le montant de vos contributions n'atteint pas les limites permises, vous pouvez reporter la différence au cours des années subséquentes. Par exemple, votre revenu gagné en 1995 vous permet de verser 2 000 $ dans votre REÉR en 1996 mais vous n'investissez aucune somme cette année-là. Vous pouvez ajouter cette somme de 2 000 $ à votre limite de contribution pour les années subséquentes, et ce, sans limite de temps.

■ Le financement

Vous ne pouvez pas déduire de votre revenu l'intérêt sur un emprunt contracté pour contribuer à un REÉR. Il peut tout de même être avantageux d'emprunter pour effectuer cet investissement si vous êtes en mesure de rembourser votre emprunt rapidement.

■ Les types de REÉR

Quatre principaux types de REÉR sont offerts par les institutions financières.

1. Compte d'épargne : ce REÉR s'apparente au compte d'épargne stable et procure une grande flexibilité. Vous pouvez retirer les sommes investies en tout temps. Le rendement est cependant faible.

2. Dépôt à terme : ce type de REÉR est similaire aux dépôts à terme offerts par les institutions financières. Il procure un rendement supérieur au REÉR-compte d'épargne. Le taux d'intérêt sur un dépôt à terme est plus élevé que sur un compte d'épargne. Vous ne pouvez pas retirer les sommes investies avant l'échéance du terme.

3. Fonds de placement : ce REÉR est analogue aux fonds mutuels. Vous détenez des parts d'un fonds géré par une institution financière. Ce fonds est généralement constitué d'actions, d'obligations et de prêts hypothécaires. Si la gestion du régime est bonne et que l'état du marché s'y prête, un tel REÉR procure un rendement élevé. Cependant, des commissions peuvent être exigées au moment de l'accès au fonds ou à son retrait.

4. Régime autogéré : vous gérez vous-même les sommes investies dans ce type de REÉR. Les placements inclus dans le régime peuvent être de différentes natures : actions, obligations, titres hypothécaires, etc. Le régime autogéré s'adresse aux investisseurs connaissant bien les marchés boursier et obligataire. Le rendement d'un tel REÉR est lié à votre gestion. Certains frais sont exigés annuellement pour l'administration du fonds. Ces frais ne sont pas déductibles de votre revenu.

À noter. Certaines entreprises offrent la possibilité à l'employé de participer à un REÉR collectif. Dans ce cas, l'employeur prélève les contributions à la source et les remet au fiduciaire. Celui-ci les investit dans des placements de différentes natures : actions, obligations, etc.

■ Le REÉR du conjoint

Vous pouvez contribuer au REÉR de votre conjoint[2]. Votre limite annuelle n'est pas augmentée du fait de votre contribution à un autre régime. Ce choix vous permet toutefois de fractionner vos revenus à la retraite et, ainsi, de payer moins d'impôt. Une telle contribution devrait être envisagée si vous prévoyez que les revenus de votre conjoint seront inférieurs aux vôtres à la retraite.

À noter. Vous pouvez contribuer au REÉR de votre conjoint même si vous avez plus de 69 ans, dans la mesure où votre conjoint est âgé de moins de 69 ans (70 ans si votre conjoint a atteint l'âge de 69 ans en 1996 et 71 ans s'il a atteint l'âge de 70 ans en 1996) et que votre revenu soit un « revenu gagné » admissible aux fins du REÉR.

La limite annuelle de votre conjoint n'est pas touchée par votre contribution. Si ces sommes demeurent dans son REÉR pendant au moins deux années complètes, il est imposé sur les fonds accumulés lors du retrait. S'il retire des sommes, peu importe qui les a versées, avant la période de deux ans, vous devez inclure le montant du retrait dans votre revenu imposable, jusqu'à concurrence des cotisations que vous avez versées dans l'année du retrait et les deux années précédentes. Cependant, vous n'êtes pas imposé si vous ne vivez plus avec votre conjoint.

À noter. Vous pouvez contribuer au REÉR de votre conjoint de fait s'il répond aux conditions exigées pour être considéré comme conjoint[3]. (*Voir le « Lexique fiscal ».*)

COMBIEN INVESTIR DANS UN REÉR?		
Année d'imposition	Pourcentage du revenu gagné de l'année précédente	Contribution maximale
1996	18%	13 500$
1997	18%	13 500$
1998	18%	13 500$
1999	18%	13 500$
2000	18%	13 500$
2001	18%	13 500$
2002	18%	13 500$
2003	18%	13 500$
2004	18%	14 500$
2005	18%	15 500$
2006	18%	indexé

■ Les transferts de fonds

Des fonds de diverses provenances peuvent être transférés à un REÉR ou retirés d'un REÉR et transférés dans d'autres régimes. Le transfert doit s'opérer directement, sans que vous encaissiez les fonds, si vous désirez qu'aucun impôt à la source ne soit retenu sur ces sommes.

Le conjoint survivant

Exceptionnellement, vous pouvez déduire certaines sommes, transférées directement ou indirectement de la succession de votre conjoint, à votre propre REÉR ou à un RPA auquel votre conjoint participait.

Par conséquent, vous pouvez recevoir des prestations de survivant grâce à une rente provenant d'un REÉR ou d'un fonds enregistré de revenu de retraite (FERR) de votre conjoint. De même, ces sommes peuvent être transférées en franchise d'impôt à votre REÉR ou à votre FERR si votre conjoint décède avant l'échéance de son propre REÉR.

Les allocations de retraite

Depuis le 27 février 1995, il n'est plus possible de transférer en franchise d'impôt les sommes reçues d'une allocation de retraite pour les années de service suivant 1995. Toutefois, vous pouvez toujours transférer dans un REÉR, en franchise d'impôt, une allocation de retraite reçue dans l'année pour les années de service précédant 1996. Le montant du transfert est limité ainsi :

Années 1989 à 1995

▌ 2 000 $ par année de service.

Années antérieures à 1989

▌ 2 000 $ par année de service;
▌ 1 500 $ pour chacune des années de service où aucune cotisation de l'employeur versée à un RPA ou à un RPDB ne vous a été acquise. C'est le cas lorsque vous ne pouvez pas bénéficier des cotisations versées par l'employeur, par exemple en raison de restrictions au contrat de travail[4].

À noter. L'allocation de départ versée à un employé peut être considérée comme une allocation de retraite et être ainsi transférée dans un REÉR sans conséquence fiscale.

Le « revenu gagné » aux fins du REÉR

Le « revenu gagné » sert de base au calcul de la cotisation maximale à un REÉR. Les règles sont les mêmes au fédéral et au provincial.

Le revenu gagné comprend les sommes suivantes :

- le revenu brut tiré d'un emploi ;
- le revenu provenant d'une entreprise exploitée activement ;
- les sommes reçues d'un régime de prestations supplémentaires d'assurance-chômage, c'est-à-dire d'un régime d'assurance-chômage créé par l'employeur dans l'entreprise ;
- les pensions pour invalidité reçues dans le cadre du Régime de pensions du Canada (RPC) ou du Régime de rentes du Québec (RRQ) ;
- les pensions alimentaires imposables reçues de l'ex-conjoint ;
- les redevances sur un ouvrage ou une invention dont le contribuable est l'auteur ;
- les subventions de recherche moins les dépenses afférentes ;
- les revenus de location nets provenant de biens immeubles (les autres revenus de placements sont cependant exclus) ;
- les revenus d'emploi et d'entreprise d'un contribuable alors qu'il ne réside pas au Canada.

À noter. Les prestations de retraite et les pensions (les prestations de Sécurité de la vieillesse, du RPC et du RRQ), les allocations de retraite, les prestations de décès et les paiements provenant d'un REÉR et d'un RPDB ne sont pas inclus dans la définition de revenu gagné.

Le revenu gagné est par contre réduit des montants suivants :

- les cotisations annuelles syndicales ou professionnelles ;
- la pension alimentaire déductible versée à l'ex-conjoint ;
- la perte provenant d'une entreprise exploitée activement ;
- la perte nette de location provenant de biens immeubles ;
- les pertes d'un contribuable alors qu'il ne réside pas au Canada (sauf s'il s'agit d'une perte d'emploi ou d'entreprise).

■ Le retrait

Toute somme retirée d'un REÉR, sauf si elle est retirée en vertu du Régime d'accession à la propriété (RAP), est incluse dans votre revenu de l'année du retrait. Cette somme est imposée au taux en vigueur à ce moment-là. Les contribuables ont généralement de plus faibles revenus au moment de la retraite qu'au moment de la contribution au REÉR. Le taux d'imposition est donc également moins élevé. Les retraits peuvent s'effectuer de diverses façons :

- le retrait partiel : seule une partie des fonds est retirée ;

■ le paiement forfaitaire : toutes les sommes sont retirées du ou des REÉR ;

■ l'achat d'une rente viagère : le montant annuel des retraits est prédéterminé et établi selon votre espérance de vie moyenne. Si la rente est garantie, le montant annuel des retraits peut être transféré à votre conjoint lors de votre décès. Si elle n'est pas garantie, les versements sont interrompus à votre décès ;

■ l'achat d'une rente à échéance fixe : le montant annuel des retraits est fixe et ce, à partir de la date d'achat jusqu'à votre 90e anniversaire de naissance ;

■ le transfert à un FERR : les fonds accumulés à l'échéance d'un REÉR peuvent ainsi être transférés dans un nouveau régime. Vous pouvez recevoir des paiements dès la première année où l'arrangement est conclu, jusqu'au décès. Vous n'êtes pas tenu d'utiliser le FERR dès la première année. Vous pouvez, dans une certaine mesure, déterminer le montant à recevoir selon vos besoins.

Toutefois, un montant établi selon un barème de pourcentage de retrait minimum doit être déclaré chaque année jusqu'à l'âge de 94 ans. À compter de cet âge, les paiements minimums sont égaux à 20 % de la valeur du FERR au début de l'année.

À noter. Les sommes accumulées dans un REÉR pendant le mariage font partie du patrimoine familial et doivent être partagées entre les conjoints en cas de dissolution du mariage. Le partage se fait sans implication fiscale. Les conjoints de fait ne sont cependant pas visés par cette mesure.

Le régime d'accession à la propriété (RAP)

Le régime d'accession à la propriété (RAP) permet aux contribuables de retirer en franchise d'impôt, tant au fédéral qu'au provincial, jusqu'à 20 000$ de leur régime enregistré d'épargne-retraite (REÉR) pour financer l'acquisition ou la construction d'une première habitation existante ou neuve.

À noter. Un particulier est considéré comme achetant une première habitation, si ni lui-même ni son conjoint n'étaient propriétaires d'une habitation leur servant de résidence principale au cours des cinq années civiles commençant avant la date du retrait.

Les principales caractéristiques du régime sont les suivantes.

L'habitation admissible

- est située au Canada ;
- est utilisée comme résidence principale dans l'année qui suit son acquisition ou sa construction ;
- le contrat d'acquisition est signé au plus tard le 30 septembre de l'année suivant celle du retrait.

À noter. Dans certaines circonstances, un particulier est considéré comme ayant acquis l'habitation admissible à la date limite même s'il l'acquiert après cette date. C'est le cas, par exemple, s'il a fait des paiements pour la construction de l'habitation, à des entrepreneurs ou à des fournisseurs avec lesquels il n'a aucun lien de dépendance, et que l'ensemble de ces paiements est égal ou supérieur aux retraits faits en vertu du régime.

Le REÉR

- le retrait ne peut excéder 20 000$;
- il doit être effectué avant ou dans les 30 jours qui suivent l'acquisition de l'habitation ;
- les sommes retirées doivent être remboursées au REÉR en versements échelonnés sur une période d'au plus 15 ans ;
- le premier remboursement doit être effectué au plus tard à la fin de la deuxième année suivant l'année du retrait ;

À noter. Vous pouvez choisir qu'un remboursement effectué au cours des 60 premiers jours d'une année soit considéré comme effectué l'année précédente.

- les remboursements ne sont pas déductibles d'impôt ;
- les remboursements anticipés réduisent le solde à rembourser ainsi que les remboursements annuels prévus pendant le reste de la période ;
- le montant des remboursements qui ne sont pas effectués dans l'année requise est imposable et est ajouté au revenu du contribuable ;
- les cotisations versées à un REÉR et retirées en vertu du RAP moins de 90 jours après le versement ne donnent droit à aucune déduction fiscale.

Pour participer au régime, il suffit de remplir le formulaire T1036 au fédéral et TP-935.1 au provincial et de les remettre à l'émetteur du REER duquel les fonds doivent être retirés.

À noter. Pour distinguer vos remboursements au RAP des contributions régulières dans votre REÉR, vous devez compléter le formulaire T1037 au fédéral et l'annexer à votre déclaration de revenus pour l'année.

Ces formulaires sont disponibles dans tous les bureaux de district d'impôt de Revenu Canada et les bureaux du ministère du Revenu du Québec.

Important. Les particuliers ne peuvent bénéficier qu'une seule fois du RAP.

■ L'échéance

Vous pouvez résilier votre REÉR en tout temps. Toutefois, le régime doit être obligatoirement résilié au cours de l'année civile où vous atteignez l'âge de 69 ans (70 ans si vous avez atteint l'âge de 69 ans en 1996 et 71 ans si vous avez atteint l'âge de 70 ans en 1996). À l'échéance, tous les fonds accumulés dans le REÉR sont en principe ajoutés à votre revenu de l'année, à moins que vous ne transformiez votre REÉR en une rente (viagère ou à échéance fixe) ou en FERR[5].

■ L'économie maximale d'impôt

Vous êtes imposé au taux marginal d'impôt combiné maximum (52,94%) et vous versez 13 500$ dans votre REÉR pour l'année 1996. Vous économisez alors 7 147$. Il est ainsi impossible pour quiconque de réaliser plus de 7 147$ d'économie d'impôt par le biais d'un REÉR en 1996, sauf si vous bénéficiez d'une déduction non utilisée au cours des années antérieures.

■ Conseils

Afin de maximiser l'avantage fiscal procuré par un REÉR, certains éléments de planification peuvent être pris en considération.

■ Malgré le report possible des contributions, il est toujours préférable de contribuer au REÉR chaque année et en début d'année. Les revenus produits par les contributions s'accumulent en effet à l'abri de l'impôt jusqu'à leur retrait.

■ Il peut être avantageux de verser une contribution supplémentaire à votre REÉR si vous n'encourez aucune pénalité, et ce, même si vous ne pouvez procéder à aucune déduction, puisque vous pouvez ainsi accumuler des revenus en franchise d'impôt. Par contre, vous devez utiliser cette contribution comme déduction dans une année ultérieure afin d'éviter une double imposition au moment du retrait des fonds du REÉR.

■ Si votre taux d'imposition est bas en 1996, vous pouvez envisager la possibilité de reporter la déduction pour la contribution versée à votre REÉR à une année ultérieure où votre taux d'imposition sera plus élevé.

■ En cas de faillite de l'institution financière ayant la garde d'un REÉR, les sommes investies sont couvertes en vertu de la Loi de l'assurance-dépôt ou de la Loi sur l'assurance-dépôt du Canada jusqu'à concurrence de 60 000$, s'il s'agit de dépôts assurables (par exemple des dépôts à terme, des certificats de placement et des certificats de dépôt dont le terme n'excède pas cinq ans et remboursables en monnaie canadienne). Si vous détenez plusieurs REÉR auprès de la même institution, la limite demeure inchangée. En effet, si vous confiez une somme de 100 000$ répartie dans trois REÉR à la même institution, seule la somme de 60 000$ est assurée. L'investisseur prudent possédant des REÉR pour plus de 60 000$ devrait faire affaire avec plus d'une institution financière.

À noter. L'assuré est le bénéficiaire du REÉR, pas nécessairement la personne qui y cotise.

■ Le Fonds canadien de protection des épargnants protège les clients contre l'insolvabilité d'un membre des Bourses de Montréal, de Toronto, de Vancouver, de l'Alberta et de l'Association canadienne des courtiers en valeurs mobilières.

La protection couvre toutes les pertes de titres ou de soldes en espèces jusqu'à concurrence de 500 000$. De cette somme, la couverture relative aux soldes en espèces ne peut excéder 60 000$.

La couverture s'applique au compte général du client. Elle s'applique aussi à chacun des comptes distincts, par exemple les comptes de REÉR, de FERR, etc.

■ Les courtiers du Québec qui ne sont pas membres de ces organismes, doivent participer à un fonds de garantie approuvé par la Commission des valeurs mobilières du Québec. La contribution demandée est de 10 000$.

■ Les REÉR émis par une société d'assurance-vie sont protégés en cas d'insolvabilité de la société émettrice, jusqu'à concurrence de 60 000$, par un fonds de garantie administré par la Société canadienne d'indemnisation pour les assurances de personnes (SIAP). Les REÉR détenus auprès d'une même société d'assurances sont regroupés aux fins du calcul de la protection maximale de 60 000$.

- Il est possible de s'assurer que les créanciers du bénéficiaire d'un REÉR ne puissent saisir les sommes investies.

- Le REÉR demeure l'abri fiscal de base et devrait être préféré à tout autre abri.

Le régime d'épargne-actions (RÉA)

Si vous résidez au Québec, vous pouvez déduire de votre revenu une partie ou la totalité du coût d'acquisition d'actions admissibles nouvellement émises par certaines entreprises[6]. Ces actions sont disponibles auprès des courtiers en valeurs mobilières.

Vous pouvez également déduire une partie du coût d'acquisition de titres convertibles admissibles[7]. Il s'agit de débentures ou d'actions privilégiées non garanties. Ces titres sont acquis dans le cadre d'une émission publique. Ces titres doivent être convertibles en tout temps en actions ordinaires admissibles au RÉA. S'ils sont rachetables, le délai de rachat ou de remboursement prévu au prospectus ne doit pas être inférieur à cinq ans ou supérieur à dix ans. Des pénalités sont prévues en cas de non-respect de ces délais. La déduction est accordée lors de l'émission des titres convertibles. Lors de la conversion en actions, ces dernières ne donnent pas droit à une nouvelle déduction.

Important. Ces déductions ne sont offertes qu'au provincial seulement et uniquement pour l'année d'imposition durant laquelle les titres admissibles sont acquis.

■ Les avantages

Les titres admissibles au RÉA donnent droit à une déduction de 50 % ou 100 % du coût de leur acquisition, selon qu'il s'agit de titres convertibles ou d'actions.

À noter. Les actions d'une société à capital de risque (SCR) à vocation régionale donnent droit à une déduction de 150 %.

Une déduction supplémentaire de 25 % est accordée pour des actions admissibles au RÉA acquises dans le cadre d'un régime d'actionnariat. Un régime d'actionnariat vous permet d'acheter des actions de la société qui vous emploie. Si vous êtes employé d'une filiale détenue à plus de 50 % par une autre entreprise, vous pouvez acheter des actions de cette dernière.

À noter. Cette déduction supplémentaire ne s'applique pas aux titres convertibles.

■ La date et les limites permises

La date limite pour l'achat de titres admissibles à un RÉA est le 31 décembre 1996. Ces titres doivent être inclus dans un RÉA, c'est-à-dire remis directement à un courtier, au plus tard le 31 janvier 1997.

Pour 1996, la déduction maximale est égale à 10 % de votre revenu total. Il s'agit de votre revenu net moins la déduction au titre d'exonération de 500 000 $ des gains en capital que vous réclamez en 1996.

■ Le financement

Vous pouvez déduire de votre revenu l'intérêt sur un emprunt contracté pour acheter des titres admissibles inclus dans un RÉA, tant que vous demeurez propriétaire des titres, et ce, au fédéral et au provincial.

■ Le transfert d'un RÉA à un REÉR

Les titres admissibles d'un RÉA ne doivent pas être inclus dans un autre régime existant en vertu de la Loi sur les impôts pour la même année. Vous ne pouvez pas posséder un même titre à la fois dans un RÉA et dans un REÉR autogéré. Il est toutefois possible de transférer des titres d'un RÉA à un REÉR autogéré dans les 60 premiers jours suivant l'année d'acquisition des titres. Cette planification permet une déduction supplémentaire aux deux niveaux de gouvernement dans la même année. Elle donne cependant lieu au retrait des titres du RÉA dans l'année de la contribution à un REÉR.

À noter. La dépense d'intérêts n'est plus admissible lorsque les titres sont transférés à un REÉR.

■ Les revenus

Les revenus produits par les titres sont imposés dans l'année de leur réception.

■ Le retrait

La vente de titres admissibles d'un RÉA peut entraîner un gain ou une perte en capital.

Vous pouvez vendre et acheter d'autres titres admissibles à l'intérieur du régime, à condition de ne pas retirer votre contribution initiale pendant au moins deux ans. À l'expiration de cette période, l'économie d'impôt devient permanente[8].

Titres détenus pendant moins de deux ans dans un RÉA

Lorsque vous vous départissez de tels titres, la déduction d'impôt obtenue lors de l'achat doit généralement être remboursée au fisc québécois dans l'année de la revente. En effet, vous devez alors ajouter à votre revenu le «coût rajusté» du titre vendu. Le coût rajusté est le coût du titre multiplié par le pourcentage de déduction applicable. Par exemple, pour un titre convertible acheté au coût de 2 000$ et donnant droit à une déduction de 50%, le coût rajusté est de 1 000$ (2 000$ X 50%).

Vous pouvez éviter cette situation en acquérant, dans la même année, de nouveaux titres admissibles au RÉA dont le coût rajusté est au moins égal à celui des titres vendus.

▼ *Exemple*

Le 1er décembre 1995, Marc a acheté pour 1 000$ d'actions déductibles à 100%. Au provincial, il a pu déduire 1 000$ de son revenu de l'année 1995. Marc vend ses actions le 15 décembre 1996. S'il ne veut pas perdre le bénéfice de la déduction déjà réclamée, il a jusqu'au 31 décembre 1996 pour exercer l'une des options suivantes :

- acheter pour au moins 1 000$ d'actions d'une autre entreprise admissible à la déduction de 100%;
- acheter pour 2 000$ de titres convertibles admissibles à la déduction de 50%;
- acheter des actions de couverture. Ces actions sont disponibles sur le marché secondaire, alors qu'elles sont inscrites à la Bourse de Montréal. La société émettrice doit se qualifier comme société en voie de développement aux fins des lois fiscales pour y être admissible et faire inscrire ses actions sur une liste publiée par la Commission des valeurs mobilières du Québec.

Titres détenus pendant deux ans ou plus dans un RÉA

La vente de tels titres ne modifie en rien l'avantage fiscal initialement conféré lors de leur acquisition.

■ Conseils

▮ L'épargne fiscale réalisée ne réduit pas le coût d'acquisition aux fins du calcul des gains et des pertes en capital.

▮ Les frais d'administration d'un RÉA sont déductibles à titre de frais financiers.

▮ Lorsque des titres admissibles au RÉA sont détenus pendant plus de deux ans, il est possible de les transférer dans un REÉR autogéré. Vous pouvez ainsi bénéficier d'une double déduction au provincial pour la même action.

Coût net d'un placement dans un RÉA au taux d'impôt maximum	
Investissement dans des actions donnant droit à une déduction de 100 %	1 000$
Moins : Économie d'impôt au taux marginal maximum (1 000$ X 26,4 %)	264$*
Coût du placement	736$
* Un placement de 1 000$ dans des actions donnant droit à une déduction de 100 % ne peut jamais permettre une économie d'impôt de plus de 264$.	

Les actions accréditives

Une action accréditive est une action émise par une entreprise œuvrant dans l'exploration minière, pétrolière ou gazière. En vertu d'une entente, cette dernière renonce à certains avantages en faveur de l'investisseur. En effet, certaines dépenses d'exploration et d'aménagement sont déductibles de votre revenu jusqu'à concurrence d'un certain pourcentage du coût de l'action accréditive acquise.

On peut se procurer ce produit auprès d'un courtier en valeurs mobilières ainsi que dans le cadre de projets d'émission privée.

■ Les avantages

Vous pouvez généralement déduire de votre revenu 100 % du coût net des actions accréditives acquises en 1996, et ce, tant au fédéral qu'au provincial[9]. Au fédéral, la partie inutilisée des frais d'exploration peut être reportée.

Au provincial, vous avez droit à une déduction supplémentaire de 25 % pour les frais d'exploration engagés au Québec avant le 1er janvier 1999. Une autre déduction de 50 % peut s'ajouter lorsqu'il s'agit de certains travaux d'exploration minière de surface, portant ainsi le total des déductions accordées à 175 %. Les frais d'émission sont inclus dans la déduction de base. Ils sont déductibles en entier si la société émettrice y renonce et les transfère aux investisseurs.

Quant aux travaux effectués à l'extérieur du Québec, ils donnent droit uniquement à la déduction des frais d'exploration, au fédéral et au provincial.

■ La date

Vous devez acquérir vos actions accréditives avant le 31 décembre 1996 pour bénéficier de la déduction en 1996.

■ Le financement

Vous pouvez déduire les intérêts raisonnables payés sur un emprunt pour acheter des actions accréditives, tant que vous en demeurez propriétaire.

■ Les revenus

Cet investissement s'avère très spéculatif, donc risqué. Dans le cas où le projet devient rentable, vous pouvez réaliser des revenus substantiels. Habituellement, aucun dividende n'est versé pendant la période de détention.

■ Le retrait

La vente des actions accréditives entraîne un gain en capital, puisque le coût de l'action est ramené à zéro lorsqu'elle est vendue ou retirée.

À noter. Au provincial, au moment de la vente d'actions accréditives admissibles à la déduction additionnelle de 25 % ou de 50 %, vous pouvez bénéficier d'une exonération des gains en capital à l'égard des gains réalisés sur ces actions. Ces actions doivent cependant avoir été acquises après le 22 février 1994 ou acquises avant cette date, en autant que vous n'ayez pas choisi de bénéficier de l'exonération cumulative des gains en capital de 100 000 $ relative au gain accumulé à cette date. L'exonération est limitée aux 3/4 des frais d'exploration engagés au Québec jusqu'à concurrence du coût de l'action.

■ Conseils

▮ L'investissement dans les actions accréditives s'avère très risqué et s'adresse aux particuliers qui disposent de revenus élevés. Un tel investissement peut toutefois engendrer un avantage fiscal considérable.

▮ Le rendement des actions accréditives n'est pas plafonné. En effet, il dépend de la valeur des actions cotées en bourse.

▮ Il est recommandé de consulter un conseiller fiscal avant d'investir dans les actions accréditives.

▮ Il est important de bien choisir son investissement, notamment en s'assurant du sérieux de la société émettrice.

Coût net d'un placement dans une action accréditive au taux d'impôt maximum		
Investissement dans des actions donnant droit à une déduction de 175 % au provincial		1 000,00 $
Moins :		
Économie d'impôt au taux marginal maximum (provincial) (1 000 $ X 175 % X 26,4 %)	462,00 $	
Économie d'impôt au taux marginal maximum (fédéral) (1 000 $ X 100 % X 26,54 %)	265,40 $	727,40 $*
Coût du placement		272,60 $
* Un placement de 1 000 $ dans une action accréditive ne peut jamais permettre une économie d'impôt de plus de 727,40 $.		

Le Fonds de solidarité des travailleurs du Québec (FSTQ) et le Fonds de développement de la Confédération des syndicats nationaux pour la coopération et l'emploi (Fondaction)

Le Fonds de solidarité des travailleurs du Québec et le Fonds de développement de la Confédération des syndicats nationaux pour la coopération et l'emploi (Fondaction) peuvent être définis comme des entreprises à capital de risque de travailleurs. Ces produits peuvent être achetés auprès du Fonds de solidarité des travailleurs du Québec, de Fondaction ou d'un responsable syndical.

■ Les avantages

Vous pouvez investir dans de tels fonds si vous n'êtes pas à la retraite. Cet investissement vous procure une déduction sous forme de crédit d'impôt, tant au fédéral qu'au provincial.

■ La date et les limites permises

Les actions du FSTQ ou de Fondaction doivent être acquises pendant l'année d'imposition ou, au plus tard, 60 jours après la fin de l'année. La date limite est le 1er mars 1997 pour l'année d'imposition 1996.

Les crédits d'impôt fédéral et provincial sont limités aux sommes suivantes :

Au fédéral

le moins élevé de :

- ▌ 20 % du coût total des actions admissibles du FSTQ ou de Fondaction acquises avant le 6 mars 1996 ; et
- ▌ 1 000 $.

plus le moins élevé de :

- ▌ 15 % du coût total des actions admissibles du FSTQ ou de Fondaction acquises après le 5 mars 1996 ; et
- ▌ l'excédent éventuel de 525 $ sur 20 % du coût total des actions admissibles du FSTQ ou de Fondaction acquises avant le 6 mars 1996.

Si les actions sont achetées dans les 60 premiers jours d'une année, le crédit peut être utilisé pour l'année de l'achat ou pour l'année antérieure.

Au provincial

le moins élevé de :

■ 20 % du coût total des actions admissibles du FSTQ ou de Fondaction acquises avant le 10 mai 1996 ; et

■ 1 000 $;

plus le moins élevé de :

■ 15 % du coût total des actions admissibles du FSTQ ou de Fondaction acquises après le 9 mai 1996 mais avant le 1er janvier 1997, conformément à une convention d'achat par épargne-salaire conclue au plus tard le 9 mai 1996 et 15 % du coût total des actions admissibles du FSTQ ou de Fondaction acquises après le 9 mai 1996 ou dans les 60 jours suivants la fin de l'année, conformément à une obligation prévue dans une convention collective conclue au plus tard le 9 mai 1996 ; et

■ 750 $

plus le moins élevé de :

■ 15 % du coût total des actions admissibles du FSTQ ou de Fondaction acquises après le 9 mai 1996 (à l'exception d'actions acquises conformément à une convention d'achat par épargne-salaire ou conformément à une obligation prévue dans une convention collective conclue au plus tard le 9 mai 1996) ; et

■ 15 % de l'excédent éventuel de 3 500 $ sur le coût total des actions admissibles du FSTQ ou de Fondaction acquises avant le 10 mai 1996 ou après le 9 mai 1996 conformément à une convention d'achat par éparge-salaire ou conformément à une obligation prévue dans une convention collective conclue au plus tard le 9 mai 1996.

Toute partie non utilisée du crédit peut être reportée aux années subséquentes.

Important. Le montant maximum d'acquisition donnant droit au crédit d'impôt ne peut excéder 5 000 $ à l'égard d'actions admissibles du FSTQ ou de Fondaction acquises avant le 10 mai 1996 ou après le 9 mai 1996 conformément à une convention d'achat par épargne-salaire ou conformément à une obligation prévue dans une convention collective conclue au plus tard le 9 mai 1996.

■ Le financement

Vous pouvez déduire les intérêts versés sur un emprunt contracté pour l'achat d'actions du FSTQ ou de Fondaction, sauf si vous les transférez dans le REÉR du FSTQ ou de Fondaction.

■ Le transfert à un REÉR

Vous pouvez transférer les actions du FSTQ ou de Fondaction dans le REÉR respectif du FSTQ ou de Fondaction. Ce transfert permet une déduction additionnelle au fédéral et au provincial. Il donne toutefois lieu au retrait des actions.

■ Les revenus

Vous êtes imposé sur les revenus de dividendes dans l'année de leur réception, sauf si vous les transférez dans le REÉR du FSTQ ou de Fondaction.

■ Le retrait

Le rachat des actions par le FSTQ ou Fondaction s'effectue à votre retraite, à votre préretraite, à votre décès ou lorsque vous atteignez l'âge de 65 ans. Il n'existe pas de marché secondaire pour les actions de ces fonds avant ces événements. Vous ne pouvez donc pas les revendre. Dans des circonstances exceptionnelles, les actions peuvent être rachetées avec l'autorisation du conseil d'administration d'un fonds, par exemple, si vous vous trouvez dans une situation financière particulièrement difficile (épuisement des prestations d'assurance-chômage ou retour aux études pour une période d'au moins deux ans). Le rachat des actions entraîne un gain ou une perte en capital. Il s'agit donc d'un investissement à long terme. La perte en capital doit être réduite du montant du crédit obtenu.

■ Conseils

Cet abri fiscal est intéressant pour les personnes qui approchent l'âge de la retraite (de 10 ans et moins). Elles bénéficient d'importants avantages fiscaux sans subir de longs délais avant de pouvoir racheter leurs actions. Cependant, le rendement de ces actions n'a pas été très élevé au cours des dernières années. Il n'est pas certain que le transfert dans un REÉR constitue un placement suffisant pour planifier la retraite, puisque le taux de rendement risque d'être inférieur à celui de l'inflation.

Coût net d'un placement dans le FSTQ ou Fondation au taux d'impôt maximum		
Investissement avant le 6 mars 1996		1 000,00$
Moins :		
Crédit provincial (1 000$ X 20%)	200,00$	
Crédit fédéral (1 000$ X 20%)	200,00$	
Déduction additionnelle pour transfert dans le REÉR du FSTQ ou de Fondation (1 000$ X 52,94%)	529,40$	929,40$
Coût du placement		70,60$
ou		
Investissement après le 5 mars 1996 et avant le 10 mai 1996		1 000,00$
Moins :		
Crédit provincial (1 000$ X 20%)	200,00$	
Crédit fédéral (1 000$ X 15%)	150,00$	
Déduction additionnelle pour transfert dans le REÉR du FSTQ ou de Fondation (1 000$ X 52,94%)	529,40$	879,40$
Coût du placement		120,60$
ou		1 000,00$
Investissement après le 9 mai 1996		
Moins :		
Crédit provincial (1 000$ X 15%)	150,00$	
Crédit fédéral (1 000$ X 15%)	150,00$	
Déduction additionnelle pour transfert dans le REÉR du FSTQ ou de Fondation (1 000$ X 52,94%)	529,40$	829,40$
Coût du placement		170,60$

La société de placement dans l'entreprise québécoise (SPEQ)

Une société de placement dans l'entreprise québécoise (SPEQ) est une société privée de placement qui investit ses fonds dans des actions de sociétés privées œuvrant dans certains secteurs d'activité. Ces secteurs sont : la fabrication ou la transformation, le tourisme, les services d'informatique et de bureautique, l'aquaculture en eau douce, l'environnement, la recherche industrielle appliquée, etc.

Ce produit peut être acheté auprès d'un courtier en valeurs mobilières agissant à titre de placeur sur compte et auprès de la SPEQ émettrice.

■ Les avantages

Vous pouvez bénéficier d'une déduction calculée sur la participation rajustée dans les placements que la SPEQ a faits pour votre compte durant l'année dans des sociétés admissibles. La participation rajustée est la part du placement qui vous est attribuée. Cette déduction est offerte au niveau provincial seulement[10]. Elle est de 125 % en 1996.

▼ *Exemple*

Jacques investit 10 000 $ dans une SPEQ. Celle-ci n'utilise que 5 000 $ pour un investissement admissible. La participation rajustée est donc de 5 000 $, soit :

$$10\ 000 \times \frac{5\ 000\$}{10\ 000\$}$$

La participation rajustée peut être augmentée si la SPEQ renonce à déduire, en tout ou en partie, les dépenses engagées pour procéder à son émission publique. Ces frais vous sont alors transférés et vous pouvez les déduire à 100 %, jusqu'à concurrence du moindre des montants suivants :

- ▮ 15 % du produit de l'émission des actions de la SPEQ ; ou
- ▮ le montant des frais d'émission.

Si vous acquérez les actions d'une SPEQ par l'entremise d'un régime d'actionnariat, vous avez droit à une déduction supplémentaire de 25 % de votre participation rajustée. Vos frais d'emprunt et vos autres frais d'acquisition n'entrent pas en ligne de compte dans le calcul de la déduction.

Une autre déduction supplémentaire de 25 % est accordée pour toute somme investie par une SPEQ régionale, portant ainsi la déduction totale à 150 %. Il en va de même pour tout placement effectué par une autre SPEQ dans une région reconnue aux fins de ce régime. La déduction passe à 175 % s'il s'agit d'une SPEQ régionale dont chaque actionnaire est aussi employé de la société bénéficiaire du placement. Une SPEQ régionale est une SPEQ qui acquiert des actions de sociétés privées situées en région (Gaspésie, Îles-de-la-Madeleine, Bas-Saint-Laurent, Saguenay, Lac-Saint-Jean, Outaouais, Abitibi-Témiscamingue, L'Islet, Montmagny, Les Etchemins, etc.)

Attention ! La déduction permise ne dépend pas de la somme investie en actions ordinaires dans la SPEQ, mais plutôt de l'investissement effectué par celle-ci.

■ La date et les limites permises

Les actions de la SPEQ doivent être acquises au plus tard le 31 décembre 1996. La déduction réclamée ne peut pas excéder 30 % de votre revenu total. Il s'agit de votre revenu net moins la déduction au titre d'exonération de 500 000 $ des gains en capital que vous réclamez en 1996.

Par ailleurs, tout excédent demeure déductible selon les mêmes limites au cours des cinq années suivantes.

■ Le financement

Vous pouvez déduire des frais d'intérêts raisonnables sur les sommes empruntées pour investir dans une SPEQ, tant que vous demeurez propriétaire des actions et ne les transférez pas à un REÉR autogéré.

■ Le transfert dans un REÉR ou dans un FERR

Les actions d'une SPEQ constituent un placement admissible à un REÉR ou à un FERR. Un tel transfert vous permet de bénéficier d'une déduction additionnelle.

■ Les revenus

Les revenus de dividendes produits par les actions détenues dans la SPEQ sont imposés dans l'année de leur réception. Lorsque les actions ont été transférées dans votre REÉR, les revenus de dividendes sont alors encaissés en franchise d'impôt. Ils ne sont imposables que lorsqu'ils sont retirés du REÉR, par exemple à votre retraite.

■ Le retrait

Il n'existe pas de période minimale de détention des actions d'une SPEQ. La vente entraîne un gain ou une perte en capital. La SPEQ doit cependant conserver son placement dans la société admissible pendant au moins deux ans.

Aux fins du calcul du gain en capital, le prix d'achat des actions d'une SPEQ n'est pas diminué de l'épargne fiscale découlant de l'investissement. Le gain en capital peut être admissible à l'exonération des gains en capital de 500,000 $ s'il s'agit d'actions admissibles de petites entreprises. (*Voir le chapitre « Les mesures fiscales particulières ».*)

■ Conseils

L'utilisation d'une SPEQ pour faire un investissement dans une compagnie procure certains allégements fiscaux. Cependant, l'économie est minime par rapport au risque que représente un tel placement. Le transfert à un REÉR vous permet de bénéficier d'une déduction supplémentaire, mais il ne s'agit que d'un report d'impôt. Avant d'aller de l'avant dans une SPEQ, une analyse plus approfondie de la rentabilité possible de l'investissement s'avère très importante.

SPEQ : L'avantage fiscal

Une SPEQ dûment créée en 1996 dispose de 100 000 $ aux fins de placement dans des sociétés admissibles. Cette somme de 100 000 $ constitue l'apport en capital de dix particuliers ayant versé 10 000 $ chacun en 1996. La SPEQ leur a remis en contrepartie un nombre équivalent d'actions ordinaires.

La SPEQ investit, au cours de l'année, tout le produit de l'émission dans XYZ inc. sous la forme d'actions ordinaires à plein droit de vote. Les actionnaires transfèrent, dès l'acquisition des actions, le maximum admissible dans leur REÉR. Par hypothèse, la valeur marchande des actions n'a pas fluctué depuis la date d'acquisition.

Chacun des actionnaires de la SPEQ a droit aux déductions suivantes pour l'année 1996 :

Investissement dans une SPEQ		10 000,00 $
Moins :		
Économie d'impôt au taux marginal maximum (10 000 $ X 26,4 % X 125 %)	3 300,00 $	
Déduction additionnelle pour transfert dans un REÉR (10 000 $ X 52,94 %)	5 294,00 $	8 594,00 $
Coût du placement		1 406,00 $

Le régime d'investissement coopératif (RIC)

Ce régime peut être assimilé au RÉA, à cette différence près que vous n'acquérez pas des actions mais des parts dans une coopérative[11]. Ce produit peut être acheté dans une coopérative admissible au régime. Il est offert au public, mais il s'adresse principalement aux membres et aux employés des coopératives admissibles.

■ Les avantages

Vous pouvez bénéficier d'une déduction égale à 100 % de votre investissement. S'il s'agit de parts émises dans le cadre d'un programme d'investissement des travailleurs, la déduction de base est portée à 125 % ou à 150 % selon la taille de l'entreprise. La déduction n'est possible qu'au niveau provincial.

Une déduction supplémentaire de 25 % s'applique si vous êtes un employé de la coopérative.

■ La date

Les parts doivent être acquises avant le 31 décembre 1996.

■ Les limites permises et le retrait

Les règles régissant la déduction maximale dans le calcul du revenu imposable ainsi que la période de détention sont identiques à celles gouvernant le RÉA. Par ailleurs, pour les titres acquis à compter de 1992, toute portion non utilisée de la déduction demeure déductible selon les mêmes limites au cours des cinq années suivantes.

■ Le financement

L'intérêt sur un emprunt contracté pour acheter des parts d'une coopérative est déductible d'impôt, tant que vous demeurez propriétaire des parts, au fédéral et au provincial.

■ Les revenus

Les parts des coopératives produisent des ristournes. Ces revenus sont imposables dans l'année de leur réception.

Coût net d'un placement dans un RIC au taux d'impôt maximum	
Investissement	1 000$
Moins :	
Économie d'impôt au taux marginal maximum (1 000$ X 26,4%)	264$*
Coût du placement	736$

* Un placement de 1 000$ dans des parts d'un RIC ne peut jamais permettre une économie d'impôt de plus de 264$.

■ Conseils

▮ Vous devriez consulter le prospectus et les spécifications relatives au rachat des parts. En général, la coopérative rachète les parts à certaines conditions.

▮ Il n'y a pas de marché secondaire pour ce type de placement.

Les abris fiscaux demeurent des mécanismes empreints de nombreux détails techniques. Le recours aux conseillers fiscaux et financiers est recommandé pour une planification fiscale adéquate.

À retenir !

▮ Dès que votre revenu imposable atteint 29 591$, votre taux marginal, c'est-à-dire votre taux d'impôt sur les prochains revenus, passe de 38,17% à 45,95%. Si votre revenu imposable atteint 62 200$, votre taux marginal passe alors à 52,94%.

▮ Un abri fiscal peut vous permettre de réduire votre facture fiscale. Toutefois, le rendement sur votre investissement doit être à la mesure du risque que comporte cet abri fiscal.

ABRIS FISCAUX					
Abri fiscal	**Niveau de gouver-nement**	**Date limite d'acqui-sition**	**Investissement maximum**	**Déduction admissible**	**Financement**
Régime enregistré d'épargne-retraite (REÉR)	Fédéral Provincial	1er mars 1997	Le moins élevé de : • 18% du revenu gagné en 1995; ou • 13 500$ **moins :** Facteur d'équi-valence (case 52 du feuillet T4-1995) Le particulier qui investit dans le REÉR de son con-joint doit respecter ces limites.	Déduction égale au montant de l'inves-tissement	L'intérêt sur un emprunt contracté pour contribuer à un REÉR n'est pas déductible.
Régime d'épargne-actions (RÉA)	Provincial	31 décembre 1996	s/o	• Déduction de 50% ou 100% du coût d'acqui-sition des titres admis-sibles, selon qu'il s'agit de titres convertibles ou d'actions (maximum 10% du revenu total) • Déduction de 150% du coût des actions émises après le 14 mai 1992 par une SCR à vocation régionale • Déduction sup-plémentaire de 25% pour les actions acquises dans le cadre d'un régime d'action-nariat	L'intérêt sur un emprunt con-tracté pour acheter des titres inclus dans un RÉA est dé-ductible, tant que le particulier est propriétaire des titres et ne les transfère pas.

TABLEAU RÉCAPITULATIF				
Report	**Transfert**	**Durée de détention des titres**	**Revenu de placement**	**Retrait ou vente**
La portion acquise dans les 60 premiers jours de 1997 peut être déduite en 1996 ou en 1997. Toute partie non utilisée de la déduction peut être reportée aux années subséquentes, sans limite de temps.	• Un particulier peut transférer une allocation de retraite dans son REÉR (maximum 2 000$ par année de service antérieure à 1996 + 1 500$ pour chaque année antérieure à 1989 où aucune cotisation de l'employeur n'est acquise par l'employé).	*Période minimale :* varie en fonction du type de REÉR. *Période maximale :* année civile où le titulaire du REÉR atteint l'âge de 69 ans (70 ans s'il atteint l'âge de 69 ans en 1996 et 71 ans s'il atteint l'âge de 70 ans en 1996).	Les revenus sont imposables lors du retrait du REÉR seulement.	Les sommes retirées sont incluses dans le revenu de l'année du retrait, sauf si : •le REÉR est converti en rente viagère, en rente à échéance fixe ou en FEER; ou • le retrait est admissible en vertu du Régime d'accession à la propriété.
s/o	Les actions d'un RÉA peuvent être transférées dans un REÉR autogéré dans les 60 premiers jours suivant l'année d'acquisition. Ce transfert donne lieu au retrait des actions du RÉA.	*Période minimale :* deux ans *Période maximale :* s/o	Les dividendes sont imposables dans l'année de leur réception, sauf s'ils sont transférés dans un REÉR autogéré.	Actions détenues pendant deux ans ou moins (non remplacées) : • gain ou perte en capital • la déduction obtenue à l'achat doit être remboursée au fisc. Actions détenues pendant plus de deux ans : gain ou perte en capital

				ABRIS FISCAUX	
Abri fiscal	**Niveau de gouvernement**	**Date limite d'acquisition**	**Investissement maximum**	**Déduction admissible**	**Financement**
Actions accréditives	Fédéral Provincial	31 décembre 1996	s/o	*Fédéral et provincial* • Déduction de 100 % du coût net des actions *Provincial* • Déduction supplémentaire de 25 % pour des travaux d'exploration engagés au Québec avant le 1er janvier 1999, lorsque les actions sont émises après le 14 mai 1992. • Déduction supplémentaire de 50 % pour certains travaux d'exploration minière de surface engagés au Québec avant le 1er janvier 1999, lorsque les actions sont émises après le 14 mai 1992.	L'intérêt sur un emprunt contracté pour acheter des actions accréditives est déductible, tant que le particulier est propriétaire des actions.
Fonds de travailleurs du Québec : Fonds de solidarité des travailleurs du Québec (FSTQ) et Fonds de développement de la Confédération des syndicats nationaux pour la coopération et l'emploi (Fondation)	Fédéral Provincial	1er mars 1997	s/o	*Au provincial* Crédit d'impôt égal au moins élevé de : • 20 % du coût total des actions avant le 10 mai 1996 ; et • 1 000 $; plus le moins élevé de : • 15 % du coût total des actions acquises après le 9 mai 1996 mais avant le 1er janvier 1997, conformément à une convention d'achat par épargne-salaire conclue au plus tard le 9 mai 1996 et 15 % du coût total des actions acquises après le 9 mai 1996 ou dans les 60 jours suivants la fin de l'année, conformément à une obligation prévue dans une convention collective conclue au plus tard le 9 mai 1996 ; et • 750 $	L'intérêt sur un emprunt contracté pour acheter des actions du fonds est déductible, tant que le particulier est propriétaire des actions et ne les transfère pas.

TABLEAU RÉCAPITULATIF

Report	Transfert	Durée de détention des titres	Revenu de placement	Retrait ou vente
Fédéral Toute partie non utilisée de la déduction de 100 % peut être reportée aux années subséquentes. *Provincial* Toute partie non utilisée des déductions supplémentaires peut être reportée aux années subséquentes.	s/o	s/o	Les dividendes sont imposables dans l'année de leur réception (habituellement, aucun dividende n'est versé pendant la période de détention des actions).	Gain en capital
Fédéral La portion acquise dans les 60 premiers jours de 1997 peut être déduite en 1996 ou en 1997. *Provincial* Toute partie non utilisée du crédit peut être reportée aux années subséquentes.	Les actions du fonds peuvent être transférées dans le REÉR du fonds.	*Période minimale :* • jusqu'à la retraite, préretraite, décès du détenteur; • jusqu'à ce que le détenteur atteigne l'âge de 65 ans ; ou • jusqu'à la survenance de circonstances exceptionnelles (études, chômage) *Période maximale :* s/o	Les dividendes sont imposables dans l'année de leur réception, sauf s'ils sont transférés dans le REÉR du fonds.	Gain ou perte en capital

ABRIS FISCAUX					
Abri fiscal	Niveau de gouver- nement	Date limite d'acqui- sition	Investissement maximum	Déduction admissible	Financement
Fonds de travailleurs du Québec : Fonds de solidarité des travail- leurs du Québec (FSTQ) et Fonds de dé- veloppe- ment de la Confédéra- tion des syn- dicats natio- naux pour la coopéra- tion et l'em- ploi (Fon- daction) (suite)				plus le moins élevé de : • 15 % du coût total des actions acquises après le 9 mai 1996 (à l'exception d'actions acquises conformé- ment à une convention d'achat par épargne- salaire ou conformé- ment à une obligation prévue dans une convention collective conclue au plus tard le 9 mai 1996) ; et • 15 % de l'excédent éventuel de 3 500 $ sur le coût des actions ac- quises avant le 10 mai 1996 ou après le 9 mai 1996 conformément à une convention d'achat par éparge-salaire ou conformément à une obligation prévue dans une convention collective conclue au plus tard le 9 mai 1996. Au fédéral le moins élevé de : • 20 % du coût des actions acquises avant le 6 mars 1996 ; et • 1 000 $. plus le moins élevé de : • 15 % du coût des actions acquises après le 5 mars 1996 ; et • l'excédent éventuel de 525 $ sur 20 % du coût des actions acquises avant le 6 mars 1996.	

TABLEAU RÉCAPITULATIF				
Report	Transfert	Durée de détention des titres	Revenu de placement	Retrait ou vente

ABRIS FISCAUX

Abri fiscal	Niveau de gouvernement	Date limite d'acquisition	Investissement maximum	Déduction admissible	Financement
Société de placement dans l'entreprise québécoise (SPEQ)	Provincial	31 décembre 1996	s/o	• Déduction de 125 % de la participation rajustée dans les placements de la SPEQ (maximum 30 % du revenu total) • Déduction supplémentaire de 25 % de la participation rajustée si les actions sont acquises dans le cadre d'un régime d'actionnariat • Déduction supplémentaire de 25 % s'il s'agit d'une SPEQ régionale	L'intérêt sur un emprunt contracté pour investir dans une SPEQ est déductible, tant que le particulier est propriétaire des actions et ne les transfère pas.
Régime d'investissement coopératif (RIC)	Provincial	31 décembre 1996	s/o	• Déduction de 100 % du montant de l'investissement ou, s'il s'agit de parts émise dans le cadre d'un programme d'investissement des travailleurs, de 125 % ou 150 %, selon la taille de l'entreprise, (maximum 10 % du revenu total) • Déduction supplémentaire de 25 % pour les parts acquises par un employé de la coopérative	L'intérêt sur un emprunt contracté pour acheter des parts est déductible, tant que le particulier est propriétaire des parts et ne les transfère pas.

s/o: sans objet

TABLEAU RÉCAPITULATIF

Report	Transfert	Durée de détention des titres	Revenu de placement	Retrait ou vente
Toute partie non utilisée de la déduction peut être reportée au cours des cinq années subséquentes.	Les actions peuvent être transférées dans un REÉR autogéré.	s/o (La SPEQ doit cependant conserver son placement dans une corporation admissible pendant au moins deux ans.)	Les dividendes sont imposables dans l'année de leur réception.	Gain ou perte en capital
Pour les titres acquis à compter de 1992, toute partie non utilisée de la déduction peut être reportée au cours des cinq années subséquentes.	s/o	*Période minimale :* deux ans *Période maximale :* s/o	Les ristournes sont imposables dans l'année de leur réception.	Parts détenues pendant deux ans ou moins (non remplacées) : • gain ou perte en capital; • la déduction obtenue à l'achat doit être remboursée au fisc. Parts détenues pendant plus de deux ans : gain ou perte en capital

■ RÉFÉRENCES

1. *Loi de l'impôt sur le revenu* (L.I.R.), S.C. 1970-1971-1972, c.63, telle que modifiée, art. 146(1) (g.1) et 146(5); *Loi sur les impôts* (L.I.), L.R.Q., c.I-3, art. 922
2. L.I.R., précitée, art. 146(5.1); L.I., précitée, art. 923
3. L.I.R., précitée, art. 252(4); L.I., précitée, art. 1
4. L.I.R., précitée, art. 60(j.1); L.I., précitée, art. 339(d.1)
5. L.I.R., précitée, art. 146.3; L.I., précitée, art. 961.1.5.
6. L.I., précitée, art. 965.7, 965.8 et 965.29
7. L.I., précitée, art. 965.9.8.1
8. L.I., précitée, art. 965.20, 965.20.1 et 965.20.2
9. L.I.R., précitée, art. 66.1 (3); L.I., précitée, art. 401
10. L.I., précitée, art. 965.29 à 965.35
11. L.I., précitée, art. 965.35 à 965.40

CHAPITRE 2

Les mesures fiscales particulières

Vous pouvez économiser de l'impôt en acquérant un abri fiscal. Mais attention !

Pour éviter que les contribuables disposant de revenus élevés n'utilisent ce mécanisme à outrance, certaines mesures particulières ont été mises en place et peuvent avoir pour effet de réduire l'épargne escomptée. Le paiement d'un impôt minimum obligatoire est prévu. Par ailleurs, les pertes nettes cumulatives sur placements (PNCP) ont pour conséquence de restreindre l'exonération des gains en capital de 500 000 $, lorsque vous vous départissez d'actions admissibles d'une petite entreprise ou de biens agricoles admissibles après avoir déduit des frais de placement. Tout investisseur avisé devrait tenter d'évaluer l'influence de ces mesures afin de mieux profiter de ses placements.

Qu'est-ce que l'impôt minimum de remplacement (IMR)?

L'impôt minimum de remplacement (IMR) oblige les contribuables à payer un impôt minimum.

Le montant d'impôt à payer pour une année correspond au plus élevé des montants suivants :

- l'IMR; ou
- l'impôt normalement payable[1].

Vous pouvez être touché par l'IMR, notamment lorsque :

- vous versez des sommes substantielles dans un régime enregistré d'épargne-retraite (REÉR), par exemple par le biais d'une allocation de départ à la retraite transférée au REÉR;
- vous investissez des sommes importantes dans des abris fiscaux;
- vous subissez des pertes de location pendant quelques années; ou
- vous réalisez des gains en capital élevés.

À noter. Les contribuables dont les revenus sont inférieurs à 40 000 $ n'ont généralement pas à se préoccuper de l'IMR.

L'IMR est calculé à partir du «revenu imposable modifié». Deux calculs sont effectués, l'un au fédéral et l'autre au provincial[2].

■ Au fédéral

Le revenu imposable modifié est calculé en ajoutant le montant des déductions non permises aux fins de l'IMR au montant de votre revenu normalement imposable. Il s'agit des déductions suivantes :

- la déduction pour une cotisation à un REÉR (incluant, entre autres, les transferts d'allocation de départ);
- la déduction pour une cotisation à un régime de pension agréé (RPA) ou à un régime de participation différée aux bénéfices (RPDB) moins les sommes forfaitaires reçues de ces régimes;
- la fraction non imposable du gain en capital (25 %), un tel gain n'étant imposé qu'à 75 %;
- la déduction pour option d'achat d'actions;

- la déduction pour un prêt aidant à la réinstallation d'un employé dans une région où le coût de la vie est plus élevé ;
- la déduction pour un investissement dans une production cinématographique ;
- la déduction pour un investissement dans des actions accréditives.

La majoration du dividende (25 % des dividendes reçus) et 25 % de la perte à l'égard de placement dans une entreprise sont ensuite déduits. Le résultat obtenu constitue le revenu imposable modifié, duquel est soustraite une exemption de base de 40 000 $[3]. L'impôt fédéral de 17 % est calculé sur le solde. Enfin, les crédits d'impôt personnels auxquels vous avez droit sont déduits[4]. Le résultat obtenu constitue l'IMR et l'impôt à payer, s'il est plus élevé que votre impôt fédéral de base. Les surtaxes y sont ajoutées et l'abattement du Québec est déduit.

À noter. Le formulaire T691(F) dûment rempli doit être annexé à votre déclaration de revenus.

■ Au provincial

Le calcul de l'IMR est identique à celui effectué au fédéral. Les déductions relatives aux abris fiscaux offerts par le Québec sont toutefois ajoutées à votre revenu imposable modifié[5]. Il s'agit des abris suivants :

- le régime enregistré d'épargne-actions (RÉA) ;
- les sociétés de placement dans l'entreprise québécoise (SPEQ) ;
- le régime d'investissement coopératif (RIC) ;
- le régime d'épargne parts permanentes des caisses (REPPC), pour le report d'une déduction non utilisée dans les années où le régime était disponible.

Comme au fédéral, la majoration du dividende et 25 % de la perte à l'égard de placements dans une entreprise sont ensuite déduits. L'impôt provincial de 20 % est calculé sur le solde. Les crédits personnels auxquels vous avez droit sont ensuite déduits. Le résultat obtenu constitue l'IMR et l'impôt à payer s'il est plus élevé que votre impôt provincial de base. Une surtaxe est ajoutée, calculée comme suit :

- 5 % de l'impôt à payer excédant 5 000 $;
- une surtaxe additionnelle de 5 % de l'impôt à payer excédant 10 000 $.

À noter. Le formulaire TP-776.42 doit être annexé à votre déclaration de revenus.

Remarque. Au provincial, à compter de l'année d'imposition 1997, le montant d'une allocation de départ à la retraite transférée dans un REÉR n'aura plus à être ajouté à votre revenu imposable pour l'application de l'impôt minimum de remplacement. D'autre part, l'exemption de base de 40 000 $ sera réduite à 25 000 $.

■ Le report de l'IMR

Si vous devez payer l'IMR pour une année donnée, l'excédent de cet impôt sur votre impôt régulier représente un « report d'IMR ». Vous pouvez l'utiliser pour réduire vos impôts au cours des sept années suivantes. Le montant que vous pouvez déduire ne doit toutefois pas dépasser l'excédent de l'impôt régulier sur l'impôt minimum de l'année, tant au fédéral qu'au provincial.

Les exonérations sur les gains en capital

L'*exonération cumulative des gains en capital de 100 000 $*

Jusqu'au 22 février 1994, les contribuables bénéficiaient, leur vie durant, d'une exonération cumulative des gains en capital de 100 000 $. Cette exonération permettait d'exempter d'impôt les gains en capital, jusqu'à concurrence de 100 000 $. Comme les gains en capital sont imposables aux 3/4, cette exonération de 100 000 $ était en fait une exonération de 75 000 $ sur les gains en capital imposables.

Bien que l'exonération ait été abolie le 22 février 1994, les gains réalisés jusqu'à cette date et les gains accumulés sur les biens détenus à cette date demeuraient admissibles à l'exonération. Toutefois, dans ce dernier cas, le contribuable qui désirait bénéficier de l'exonération devait faire un choix dans sa déclaration de revenus de 1994. Ce choix consistait à considérer que le bien avait fait l'objet d'une disposition présumée le 22 février 1994 pour un prix se situant entre son prix d'achat et sa valeur marchande à cette date.

À noter. Il était interdit de déclarer, dans le cadre du choix, des gains en capital supérieurs à la somme nécessaire pour bénéficier de l'exonération.

Même si vous ne pouviez pas, en principe, effectuer votre choix plus tard que le 30 avril 1995, soit la date limite pour produire votre déclaration d'impôt 1994, vous avez jusqu'au 30 avril 1997 pour produire un choix tardif ou un choix modifié pour l'année d'imposition 1994. Une pénalité de 1/3 de 1 % par mois de retard multipliée par la différence entre l'exemption réclamée lors du nouveau choix et l'exemption réclamée lors du choix initial, s'il y a lieu, doit toutefois être payée, au fédéral et au provincial, lors de la production du choix tardif ou du choix modifié.

▼ Exemple — Biens autres qu'un immeuble

Marc possède des actions d'une société publique qu'il a payées 15 000 $ en 1985 et qui avaient une valeur marchande de 50 000 $ le 22 février 1994. Il a déjà utilisé 90 000 $ de son exonération cumulative des gains en capital, ce qui lui laisse 10 000 $ d'exonération inutilisée. Le 30 avril 1997, Marc produit un choix tardif. Il choisit, pour ses actions, un produit de disposition présumé de 25 000 $, soit le prix d'achat des actions plus 10 000 $ de gains admissibles. Il ajoute donc un gain en capital imposable de 7 500 $ dans son revenu net de l'année 1994, soit les trois quarts de 10 000 $, et demande une déduction de 7 500 $ dans le calcul de son revenu imposable de la même année. En faisant ce choix, son gain en capital de 10 000 $ est exonéré. Cependant, comme Marc produit son choix 24 mois après la date limite du 30 avril 1995, il doit payer une pénalité de 600 $ (7 500 $ X 1/3 X 1 % X 24).

Le prix d'achat initial des actions de Marc est majoré du gain déclaré, soit 10 000 $. Ceci aura pour effet de réduire son gain en capital lorsqu'il disposera réellement de ses actions, Ainsi, s'il les vend 61 000 $ en 1998, son gain en capital sera de 36 000 $ (61 000 $ – 25 000 $) et son gain en capital imposable sera de 27 000 $ (36 000 $ x 75 %). Si Marc n'avait pas produit de choix tardif, ces montants auraient plutôt été de 46 000 $ (61 000 $ - 15 000 $) et de 34 500 $ (46 000 $ x 75 %) respectivement.

▼ Exemple — Immeuble

Catherine a acheté une résidence secondaire pour la somme de 110 000 $ le 1er mars 1987. Le 22 février 1994, la valeur marchande de cette résidence secondaire était de 158 000 $. Le gain en capital accumulé de Catherine à cette date était donc de 48 000 $. Le 30 avril 1997, Catherine produit un choix tardif. Elle calcule que son gain en capital admissible à l'exonération cumulative des gains en capital est de 40 000 $, une somme de 8 000 $ n'y étant pas admissible. Comme elle n'a jamais utilisé son exonération des gains en capital, elle peut s'en prévaloir en totalité. Elle choisit donc un produit de disposition de 158 000 $, soit la valeur marchande de sa résidence secondaire au 22 février 1994. Elle ajoute un gain en capital imposable de 30 000 $ dans son revenu net de l'année 1994, soit les trois quarts de 40 000 $, et demande une déduction de 30 000 $ dans le calcul de son revenu imposable de la même année. En faisant ce choix, son gain en capital de 40 000 $ est exonéré. Cependant, comme Catherine produit son choix 24 mois après la date limite du 30 avril 1995, elle doit payer une pénalité de 2 400 $ (30 000 $ X 1/3 X 1 % X 24). Quant aux 8 000 $ de gains en capital non admissibles à l'exonération, il ne sera pas imposable tant que Catherine n'aura pas effectivement vendu sa résidence secondaire. Enfin, le prix d'achat initial de la résidence secondaire de Catherine est majoré de 40 000 $. Ceci aura pour effet de réduire son gain en capital lorsqu'elle vendra sa résidence secondaire.

L'exonération cumulative des gains en capital de 500 000 $

Une exonération de 500 000 $ (375 000 $ sur les gains en capital imposables) est offerte sur les gains résultant de la dispositions d'«actions admissibles de petite entreprise», de participations dans une société agricole familiale ou d'actions d'une société agricole familiale.

À noter. Les «actions admissibles de petite entreprise» sont généralement des actions d'une société privée exploitant une petite entreprise active dont le contrôle est canadien. Elles doivent avoir été détenues pendant au moins 24 mois par le contribuable qui réclame l'exonération ou par toute autre personne qui lui est liée. Une société est une «société privée dont le contrôle est canadien» lorsqu'au moins 50% de ses actions sont détenus directement ou indirectement par des individus ou des sociétés privées résidant au Canada.

Cette exonération de 500 000$ (375 000$ sur les gains en capital imposables) est réduite du montant de l'exonération de 100 000$ (75 000$ sur les gains en capital imposables) déjà réclamée dans les années antérieures. Contrairement à l'exonération cumulative des gains en capital de 100 000$, l'exonération de 500 000$ n'a pas été abolie.

Important. Avant d'être en mesure d'utiliser l'exonération cumulative des gains en capital de 100 000$, en produisant un choix tardif ou un choix modifié pour l'année d'imposition 1994, ou celle de 500 000$, les contribuables doivent soustraire les pertes en capital déductibles de leurs gains en capital imposables. De plus, l'exonération des gains en capital imposables est réduite du montant du compte des pertes nettes cumulatives sur placements (PNCP), calculé à la fin de l'année d'imposition pour laquelle l'exonération est réclamée.

Les pertes nettes cumulatives sur placements (PNCP)

Les PNCP vous empêchent de profiter de l'«effet de levier» lorsque vous empruntez pour acquérir des abris fiscaux plutôt que d'utiliser vos propres capitaux. Cet effet de levier vous permettrait de déduire vos frais de placement pendant que vous détenez un investissement et de bénéficier en plus de l'exonération cumulative des gains en capital de 100 000$, en produisant un choix tardif ou un choix modifié pour l'année d'imposition 1994, ou de 500 000$ lorsque vous le vendez. Les PNCP ont pour effet de diminuer le montant d'exonération cumulative des gains en capital imposables en créant une charge fiscale égale à l'économie d'impôt réalisée antérieurement, lors de la déduction des frais de placement[6].

À noter. La restriction relative aux PNCP s'applique même si les frais de placement ne sont pas reliés aux gains en capital réalisés.

■ Comment calculer vos PNCP ?

Votre compte des PNCP correspond à l'excédent de vos frais de placement engagés depuis le 1er janvier 1988 sur vos revenus de placement réalisés depuis cette date. Il est cumulatif et calculé le 31 décembre de chaque année, durant votre vie entière ou jusqu'à ce que vos exonérations cumulatives des gains en capital soient entièrement utilisées. Vous n'êtes donc pas affecté par cette mesure si vous avez épuisé vos exonérations cumulatives des gains en capital. Il faut faire deux calculs des PNCP, l'un au fédéral et l'autre au provincial.

Les frais de placement comprennent, entre autres, les intérêts déduits, les honoraires de conseillers en placement, les pertes de sociétés de personnes (sauf lorsque vous êtes un associé actif), les pertes nettes de bien locatif et certaines déductions pour abris fiscaux.

Les revenus de placement incluent les intérêts, les dividendes (majorés), les revenus nets de location et les revenus de sociétés dans lesquelles vous ne prenez pas une part active.

À noter. Plusieurs déductions accordées au provincial n'entrent pas dans le calcul des PNCP. C'est le cas, entre autres, des déductions accordées pour les RÉA, le RIC et les SPEQ.

Le montant des gains imposables admissibles à l'exonération des gains en capital est réduit du montant des PNCP. Le résultat obtenu constitue le plafond des gains cumulatifs. Le montant de l'exonération que vous pouvez réclamer pour les gains en capital réalisés dans une année est limité au moins élevé des montants suivants :

- ▌ le solde de l'exonération cumulative des gains en capital imposables que vous n'avez pas encore réclamée ;
- ▌ votre plafond annuel des gains, c'est-à-dire vos gains en capital imposables moins vos pertes en capital imposables pour l'année ; ou
- ▌ votre plafond des gains cumulatifs.

Attention ! Le gain en capital réalisé à la suite de la vente d'immeubles détenus depuis le 1er mars 1992 constitue un revenu de placement pour les fins du calcul du compte de PNCP. Cette mesure s'applique également aux actions de sociétés dont le principal actif est constitué d'immeubles. Par contre, elle ne touche pas les immeubles utilisés dans une entreprise exploitée activement et l'exonération cumulative de 500 000 $ applicable aux actions de petites entreprises et aux biens agricoles admissibles. Elle n'affecte pas non plus l'exemption de gain en capital sur les résidences principales.

■ Pourquoi calculer vos PNCP?

Lorsque vous connaissez votre solde de PNCP accumulées depuis le 1er janvier 1988, vous êtes en mesure de déterminer si vous avez droit à votre exonération cumulative des gains en capital. Cette information est très importante si vous possédez des actions admissibles de petites entreprises ou de biens agricoles admissibles qui donnent droit à l'exemption de 500 000 $ ou que vous pensez en faire l'acquisition dans le futur. Un dollar de gain en capital signifie en 1996 plus de 39 cents d'impôt si vous êtes imposé au taux d'impôt marginal fédéral-provincial de 52,94 %, ce gain étant imposable aux trois quarts. Conséquemment, l'exonération cumulative des gains en capital de 500 000 $ représente, par exemple, près de 150 000 $ d'économie fiscale potentielle.

À noter. Le compte des PNCP est calculé à la fin de l'année. Il est donc possible que vous réalisiez un gain en capital que vous croyez exempt d'impôt mais qui sera touché par des PNCP réalisées plus tard dans l'année.

■ Quelques conseils

Si vous êtes touché cette année par les PNCP ou prévoyez l'être, vous pouvez en réduire l'impact en augmentant vos revenus de placement, en diminuant vos frais de placement ou encore en retardant l'imposition de vos gains en capital admissibles à l'exonération cumulative des gains en capital de 500 000 $. Ainsi, les éléments de planification suivants peuvent être considérés. Vous pouvez :

- ▍ vous verser un revenu de dividendes ou d'intérêts d'une société dont vous êtes l'actionnaire, plutôt qu'un salaire ;
- ▍ vous imposer sur des revenus d'intérêts courus ;
- ▍ reporter l'utilisation des déductions qui peuvent l'être ;
- ▍ vous départir, si cela est possible, des biens engendrant des gains en début d'année plutôt qu'à la fin de l'année. Il vous est alors

possible d'investir le produit qui créera un revenu de placement, minimisant ainsi vos PNCP;

▌ laisser un solde de prix de vente sur une transaction apportant un gain en capital admissible à l'exonération cumulative des gains en capital de 500 000 $. Ce solde vous permet de créer une provision et de reporter l'imposition du gain jusqu'à ce que vous encaissiez le prix de vente, et ce, pendant une période maximale de cinq ans. Vous pourrez peut-être utiliser votre exonération cumulative de 500 000 $ dans les années ultérieures si votre solde de PNCP est abaissé.

À retenir !

▌ Afin d'éviter que des contribuables profitent trop des allégements prévus dans les lois fiscales, ces dernières contiennent certaines mesures visant à faire payer à ces contribuables leur « juste » part d'impôt. Il s'agit des règles de l'impôt minimum de remplacement (IMR).

▌ Si vous réalisez un gain en capital admissible à l'exonération cumulative des gains en capital de 500 000 $, le montant des pertes sur placement comptabilisées dans votre compte des pertes nettes cumulatives sur placement (PNCP) réduit le montant de l'exonération à laquelle vous avez droit.

▌ Si vous possédez des biens sur lesquels vous aviez accumulé des gains en capital le 22 février 1994, vous pouviez, dans votre déclaration de revenus de 1994, effectuer un choix. Selon ce choix, vous étiez présumé avoir disposé de vos biens à un prix, ne dépassant pas leur juste valeur marchande et, ainsi, bénéficier de votre exonération cumulative des gains en capital de 100 000 $ non encore utilisée. Moyennant le paiement d'une pénalité, vous pouvez faire un choix tardif, et ce, jusqu'au 30 avril 1997.

IMPACT DES MESURES FISCALES PARTICULIÈRES SUR LES ABRIS FISCAUX				
Abris fiscaux	**IMR**		**PNCP**	
	Fédéral	**Provincial**	**Fédéral**	**Provincial**
Régime enregistré d'épargne-retraite	oui	oui	non	non
Régime d'épargne-actions	s/o	oui	non*	non*
Actions accréditives	oui	oui	50 % des frais d'explo-ration	50 % des frais d'exploration engagés au Canada mais hors-Québec
Recherche scientifique et déve-loppement expérimental**	s/o	oui	non*	non*
Fonds de solidarité des travail-leurs du Québec et Fonds de la Confédération des syndicats nationaux	non***	non***	non*	non*
Société de placement dans l'entreprise québécoise	s/o	oui	non*	non*
Productions cinématogra-phiques canadiennes	oui	oui	oui	oui
Régime d'investissement coopé-ratif	s/o	oui	non*	non*

s/o : sans objet

* Seul l'intérêt sur un emprunt contracté pour effectuer un tel investissement entre dans le calcul des PNCP.

** Le projet de financement externe doit être effectué à la suite d'un placement déposé avant le 23 avril 1993 et pour lequel le visa définitif a été obtenu au plus tard le 31 août 1993.

*** Seule la déduction accordée lors d'un transfert dans un REÉR entre dans le calcul de l'IMR.

■ RÉFÉRENCES

1. *Loi de l'impôt sur le revenu* (L.I.R.), S.C., 1970-1971-1972, c. 63, telle que modifiée, art. 127.5 ; *Loi sur les impôts* (L.I.), L.R.Q., c. I-3, art. 776.42
2. L.I.R., précitée, art. 127.52 ; L.I., précitée, art. 776.51, 776.52
3. L.I.R., précitée, art. 127.53 ; L.I., précitée, art. 776.47
4. L.I.R., précitée, art. 127.531
5. L.I. précitée, art. 776.47, 776.65
6. L.I.R., précitée, art. 110.6 ; L.I., précitée, art. 726.6

DEUXIÈME PARTIE

Vos déclarations de revenus 1996

LEXIQUE

Pour mieux vous y retrouver!

■ Activité artistique

Une activité artistique comprend les activités suivantes : création de peinture, d'estampes, de gravures, de sculptures et d'œuvres d'art semblables ; la composition d'une œuvre dramatique, musicale ou littéraire ; une activité qui consiste à interpréter une œuvre dramatique ou musicale comme l'art dramatique, la danse, le chant ou la musique ; et toute activité pour laquelle un artiste est membre d'une association d'artistes professionnels reconnue par le ministère des Communications.

■ «Autre personne» à charge

L'«autre personne» est un enfant, un petit-enfant, un parent, un grand-parent, un frère, une sœur, un oncle ou une tante, un neveu ou une nièce du contribuable ou de son conjoint.

■ Conjoint

Le conjoint est une personne unie au contribuable par les liens du mariage. Le conjoint est également un conjoint de fait s'il est une personne de sexe opposé qui vit avec le contribuable en union conjugale depuis au moins 12 mois ou qui vit en union conjugale depuis moins de 12 mois mais qui est le parent naturel ou adoptif d'un enfant (autre qu'un gendre ou une bru) du contribuable.

■ Crédit d'impôt

Le crédit d'impôt est soustrait de l'impôt à payer. Un crédit d'impôt peut être remboursable ou non remboursable. Un crédit non remboursable sert à diminuer ou à annuler l'impôt à payer. Un crédit remboursable est également soustrait de l'impôt à payer. Toutefois, toute portion excédant l'impôt à payer est remboursée au contribuable. Entre autres, sont remboursables les crédits d'impôt suivants :

- au fédéral, le crédit pour taxe sur les produits et services (TPS);
- au provincial, les crédits pour impôts fonciers, pour taxe de vente du Québec (TVQ), pour hébergement des parents, pour frais d'adoption et pour frais de garde d'enfant.

Le crédit d'impôt est généralement plus avantageux pour les contribuables à faible et à moyen revenu. Le crédit d'impôt non remboursable est toutefois perdu, en totalité ou en partie, lorsqu'il n'y a pas d'impôt à payer.

■ Déduction fiscale

La déduction fiscale réduit le revenu imposable d'un contribuable.

■ Déficience physique ou mentale grave et prolongée

Une personne est atteinte d'une déficience physique ou mentale grave si la déficience la limite de façon importante dans ses activités quotidiennes. La déficience doit avoir persisté durant 12 mois ou il doit être plausible qu'elle durera un an lorsqu'elle a commencé dans l'année pour laquelle elle est invoquée.

■ «Enfant» à charge

L'«enfant» est un enfant, un petit-enfant, un neveu, une nièce, un frère ou une sœur, un conjoint d'un enfant du contribuable ou de son conjoint.

■ Établissement domestique autonome

Habitation, appartement ou autre logement de ce genre où une personne mange et dort habituellement. Une chambre dans une pension, un hôtel ou un dortoir n'est pas ordinairement considérée comme un établissement domestique autonome.

■ Impôts fonciers

Total des taxes payables sur un immeuble comme les taxes scolaires, les taxes d'eau, d'égout, de voirie et d'enlèvement des ordures, les taxes particulières à un secteur pour les installations ou les services publics, les taxes de financement des municipalités ou des communautés urbaines et la taxe de locataire. Toute partie des impôts fonciers remboursables de quelque façon que ce soit est déduite du montant total des impôts fonciers.

■ Infirmité physique ou mentale

Une personne souffre d'une déficience physique ou mentale lorsqu'elle ne jouit pas d'une de ses fonctions ou n'en jouit qu'imparfaitement, sans toutefois que sa santé générale en souffre. Son état peut être congénital ou accidentel.

■ «Personne» à charge

La «personne» à charge est un enfant, un petit-enfant, un parent, un grand-parent, un frère, une sœur, un oncle ou une tante, un neveu ou une nièce du contribuable, ou de son conjoint. Le terme enfant désigne également le conjoint d'un enfant du contribuable et une personne qui est entièrement à la charge du contribuable et dont il a la garde et la surveillance ou les avait immédiatement avant que cette personne ait l'âge de 19 ans.

■ Résident canadien et québécois

Un résident canadien est une personne qui réside habituellement au Canada. Une personne qui demeure au Canada toute l'année est un résident canadien. Comme la notion de résident n'est pas définie dans la loi, la situation d'une personne qui quitte le Canada temporairement peut varier, en fonction des faits pertinents dans chaque cas. Par exemple, une personne devrait être considérée comme résidant au Canada dans les cas suivants :

■ son départ n'est pas définitif, par exemple si elle quitte le Canada pendant moins de deux ans, sans rompre ses liens de résidence avec le Canada (logement, conjoint, personnes à charge, biens personnels et liens sociaux);

■ elle n'établit pas de résidence permanente dans un autre pays.

Cette personne est également un résident québécois si elle réside habituellement au Québec.

Par ailleurs, une personne peut être un résident canadien ou québécois seulement pour une partie de l'année si elle quitte le pays ou la province ou y arrive dans l'année. Enfin, un résident étranger est présumé être un résident du Canada ou du Québec pendant toute l'année s'il y séjourne pendant 183 jours ou plus.

■ Revenu brut

Revenu total d'un contribuable, avant déductions.

■ Revenu d'entreprise

Revenu du travailleur autonome provenant du travail qu'il effectue à son compte. Ce travail est qualifié d'« entreprise ». Il ne faut pas confondre les termes « entreprise », « commerce » et « compagnie » ou « société », comme c'est souvent le cas en langage courant.

■ Revenu imposable

Revenu net d'un contribuable duquel sont soustraites certaines déductions indiquées aux déclarations de revenus.

■ Revenu net

Revenu total d'un contribuable, moins les dépenses admissibles indiquées aux déclarations de revenus.

■ Revenu familial (provincial)

Le revenu familial est utilisé pour déterminer le montant du remboursement d'impôts fonciers, du crédit remboursable pour taxe de vente et de la réduction d'impôt à l'égard de la famille.

Il s'agit du revenu net d'un contribuable plus celui de son conjoint, s'il y a lieu. Certaines déductions et certains revenus sont ajoutés à ce montant, notamment les contributions à un régime enregistré de retraite et à un régime enregistré d'épargne-retraite (REÉR), les dépenses d'amortissement et les prestations d'aide de dernier recours. Certaines contributions, par exemple les contributions au Fonds des services de santé, au Régime des rentes du Québec (RRQ) et au Régime de pensions du Canada (RPC) et certains crédits personnels, par exemple les crédits de base, pour personne vivant seule, pour enfants à charge et pour autres personnes à charge, sont ensuite déduits. De plus, une somme supplémentaire est prévue à titre de déduction à l'annexe B. Cette somme est de :

- 8 590 $ dans le cas d'un couple avec au moins un enfant à charge ;
- 7 445 $ dans le cas d'un contribuable vivant seul avec au moins un enfant à charge ;
- 6 410 $ dans le cas d'un contribuable vivant avec un autre adulte et au moins un enfant à charge.

CHAPITRE 3

Tous les contribuables

À moins que vous ou votre conjoint n'ayez exploité une entreprise en 1996, le 30 avril 1997 au plus tard, il faudra déclarer vos revenus de l'année 1996 pour respecter les lois fiscales et satisfaire ainsi les ministères du Revenu fédéral et provincial. (*Voir le chapitre «Les travailleurs autonomes»*.) Si personne ne peut échapper au paiement de l'impôt, pourquoi ne pas vous assurer de bien connaître tous les allégements auxquels vous avez droit? Vous pourrez ainsi vous préparer en conséquence et réduire la note. Plusieurs crédits et déductions sont offerts à tous les contribuables, peu importe leur âge, leur condition physique, leur occupation, leur situation familiale et leur type de revenu. Certains vous reviennent d'office, d'autres exigent que vous ayez engagé certaines dépenses ou encouragé quelque cause... Dans tous les cas, ne les oubliez surtout pas!

Quels revenus déclarer?

En principe, vous êtes imposé sur tous vos revenus gagnés au Canada et à l'étranger si vous résidiez au Québec en 1996, et ce, au fédéral et au provincial. Ainsi, vous devez par exemple déclarer vos revenus d'emploi, d'entreprise et de biens ainsi que vos prestations d'assurance-chômage. Par contre, certains revenus ne sont pas imposés. Il s'agit par exemple des sommes reçues à titre de prestations d'aide de dernier recours ou d'indemnisation pour des dommages physiques ou moraux en raison de blessures ou à la suite d'un décès[1]. La situation est différente si vous résidiez à l'extérieur du Québec ou du Canada[2]. Si vous avez quitté définitivement le Canada ou le Québec au cours de l'année, vous ne payez l'impôt sur vos revenus de toutes provenances que pour la période pendant laquelle vous y résidiez, y occupiez un emploi ou y exploitiez une entreprise.

À noter. Le Canada a signé des conventions fiscales avec une cinquantaine de pays. Ces conventions visent à éviter qu'un contribuable qui reçoit des revenus de plusieurs pays ne soit imposé dans plus d'un pays ou élude le paiement de l'impôt.

LES REVENUS À DÉCLARER		
	Fédéral	**Provincial**
Résident canadien et résident québécois	Tous les revenus gagnés au Canada et à l'étranger	Tous les revenus gagnés au Canada et à l'étranger, sauf les revenus d'entreprise gagnés dans une autre province canadienne
Résident canadien d'une autre province	Tous les revenus gagnés au Canada et à l'étranger	Revenus d'entreprise gagnés au Québec*
*Ces revenus sont calculés à l'aide du formulaire TP-25.		

■ Les paiements rétroactifs

Au provincial, vous pouvez choisir d'exclure de votre revenu de l'année où vous le recevez, un paiement d'au moins 300 $ se rapportant à des années antérieures. Ce paiement doit être reçu après le 31 décembre 1991 et représenter :

❙ une prestation versée en vertu du régime des rentes du Québec ou d'un régime équivalent au sens de la loi ;

❙ une prestation versée en vertu de la loi sur l'assurance-emploi ;

■ un revenu d'emploi reçu par suite d'un jugement, d'une sentence arbitrale ou d'une entente dans le cadre d'une procédure judiciaire ;

■ des arrérages de pension alimentaire ; ou

■ tout autre paiement rétroactif semblable dont l'imposition dans une seule année entraînerait pour vous, de l'avis du ministère du Revenu, un fardeau fiscal supplémentaire indu.

Ce choix vous permet de payer l'impôt relatif au paiement rétroactif comme si vous l'aviez reçu au cours des années auxquelles il se rapporte. Vous devez calculer le total de l'impôt supplémentaire qui aurait été payable pour l'ensemble des années antérieures auxquelles le revenu se rapporte, si celui-ci avait été inclus dans le calcul de votre revenu pour ces années, et ajouter ce montant à votre impôt payable pour l'année de l'encaissement[3].

À noter. Les formulaires TP-766.2 et TP1029.8.50 dûment remplis doivent être annexés à votre déclaration de revenu.

Bon à savoir. Dans certains cas, Revenu Québec effectue les calculs pour déterminer ce qui vous est le plus avantageux pour vous.

Au fédéral, un choix similaire à celui du provincial peut être fait à l'égard du paiement forfaitaire de prestations d'invalidité.

Les besoins essentiels

Le gouvernement fédéral évalue vos besoins essentiels à 6 456 $ par année. Au provincial, ces besoins sont évalués à 5 900 $.

À ce titre, vous pouvez réclamer un crédit d'impôt personnel de base de 1 098 $ au fédéral, soit 17 % des besoins essentiels[4]. Au provincial, le crédit est de 1 180 $, soit 20 % des besoins estimés[5].

Les dons de bienfaisance

Vous bénéficiez d'un crédit d'impôt, au fédéral et au provincial, pour vos dons à des organismes admissibles[6]. Ces organismes sont principalement les suivants :

■ les organismes de bienfaisance enregistrés ;

■ les associations canadiennes de sport amateur enregistrées;

■ les municipalités canadiennes;

■ l'Organisation des Nations Unies ou une organisation qui lui est affiliée;

■ les œuvres de bienfaisance à l'extérieur du Canada auxquelles un des gouvernements a fait un don en 1995 ou en 1996.

Au fédéral, le crédit est de 17 % de la première tranche de 200 $ des dons de bienfaisance et 29 % de l'excédent, jusqu'à concurrence du total des montants suivants :

■ 50 % de votre revenu net;

■ 50 % du montant des gains en capital imposables inclus dans votre revenu pour l'année et découlant des dons de bien en immobilisation ayant pris de la valeur, par exemple des actions, des obligations ou un terrain[7].

Le montant des dons admissibles non utilisé au cours d'une année peut être reporté au cours des cinq années suivantes.

À noter À compter de 1996, la limite des dons de bienfaisance faits par un particulier au cours de l'année de son décès et de l'année précédente est de 100 % de son revenu net.

Conseil. Dans une même famille, il est avantageux qu'une seule personne déclare les dons de bienfaisance. La partie des dons excédant 200 $ bénéficie en effet du taux maximum de crédit d'impôt.

Au provincial, le crédit est de 20 % des dons de bienfaisance, jusqu'à concurrence de 20 % de votre revenu net[8]. Le montant des dons admissibles non utilisé au cours d'une année peut être reporté au cours des cinq années suivantes.

À noter. La production de reçus officiels est essentielle pour avoir droit aux crédits.

Les frais médicaux

Vous avez droit à un crédit d'impôt relativement aux frais médicaux engagés pour vous-même, votre conjoint et pour toute personne à votre charge[9].

Les frais médicaux comprennent, entre autres :

▌ les primes versées à des régimes privés d'assurance-maladie ;

▌ les frais payés pour vous par votre employeur et inclus dans le calcul de votre revenu ;

▌ les paiements aux hôpitaux, médecins, dentistes, etc. ;

▌ les frais d'ambulance, de prothèses et autres équipements spéciaux essentiels à votre santé ou à celle de vos dépendants ;

▌ les frais de convalescence en maison spécialisée ;

▌ certains frais de déplacement et de transport relatifs à l'obtention de soins ;

▌ les frais raisonnables pour l'obtention d'une transplantation de la moelle épinière ou d'un organe ;

▌ le coût des lunettes ou autres dispositifs de traitement ou de correction des troubles de la vue, prescrits par un médecin ou un optométriste ;

▌ le coût de plusieurs produits prescrits par un médecin comme l'insuline, l'oxygène, une perruque faite sur mesure pour une personne ayant subi une perte anormale de cheveux en raison d'une maladie, d'un traitement médical ou d'un accident, un dispositif ou un équipement destiné à stimuler ou régulariser le cœur d'une personne atteinte d'une maladie cardiaque ou une prothèse mammaire requise à la suite d'une mastectomie ;

▌ le coût des autres médicaments prescrits par ordonnance d'un médecin ou d'un dentiste ;

▌ le coût des dispositifs de signalisation visuelle ou vibratoire à l'usage des handicapés auditifs ;

▌ les frais de programmes de rééducation pour pallier la perte de la parole et de l'ouïe.

Important. Au provincial, le montant des contributions versées pour vous par votre employeur à un régime privé d'assurance-maladie doit être ajouté à votre Relevé 1 à titre d'avantage imposable. N'oubliez pas d'inclure le montant dans le calcul de vos frais médicaux[10].

Attention ! Vous ne pouvez pas réclamer de crédit pour des frais médicaux qui vous ont été remboursés, par exemple par

votre employeur ou par un assureur, sauf si le montant du remboursement est inclus dans votre déclaration de revenus. Vous pouvez
toujours réclamer la portion des frais médicaux qui ne vous a pas été
remboursée par votre assureur.

Le crédit pour frais médicaux est de 17 % au fédéral et de 20 % au
provincial des frais médicaux excédant la moins élevée des sommes
suivantes :

- 3 % du revenu net ; ou
- 1 614 $.

Conseil. Si le montant total des frais médicaux admissibles pour
1996 n'excède pas 3 % de votre revenu net ou 1 614 $, il
est conseillé de conserver les reçus pour les appliquer, possiblement,
à la déduction de 1997. Les frais sont en effet déductibles l'année
suivante s'ils ont été engagés dans une période de 12 mois se terminant en 1997. Vous pourrez, par exemple, déduire les frais médicaux
engagés pour la période du 16 août 1996 au 15 août 1997.

Remarque. Au provincial, à compter de l'année d'imposition 1997,
la limite relative au montant de 1 614 $ sera abolie et le
revenu devant être considéré pour réduire les frais vous donnant droit
au crédit d'impôt pour frais médicaux sera votre revenu net et celui
de votre conjoint, s'il y a lieu.

À noter. Tous les reçus pour les frais médicaux doivent être annexés à vos déclarations de revenus.

Vos frais raisonnables de transport, de déplacement et de logement
engagés dans l'année afin d'obtenir des soins médicaux dans une
région située à plus de 250 kilomètres de votre résidence, de même
que ceux de la personne qui vous accompagne, si vous ne pouvez
voyager sans aide, donnent également droit à un crédit de 20 %[11]. Les
frais de déménagement sont aussi admissibles à ce crédit, s'il est
raisonnable de s'attendre à ce que le traitement dure au moins six
mois et si le médecin le certifie. Contrairement aux autres frais
médicaux, le crédit est calculé sur la totalité des frais. Il s'applique
au provincial seulement.

Les soins pour lesquels les frais ont été payés doivent respecter les
conditions suivantes :

- il doit s'agir de soins médicaux spécialisés au Québec ;

■ ils ne doivent pas avoir été donnés dans votre région.

À noter. Le formulaire TP-752.0.13.1 doit être rempli.

Les contributions aux partis politiques

Vous pouvez déduire de votre impôt à payer une partie des sommes versées à un parti politique ou à un candidat indépendant autorisé. Au fédéral, ce crédit peut être demandé par un particulier ou par une société, alors qu'au provincial, seul un particulier peut le demander.

Vous pouvez profiter du crédit au fédéral si votre contribution est versée à un parti enregistré ou à un candidat officiel pour l'élection d'un ou de plusieurs députés à la Chambre des communes du Canada.

Le crédit se calcule de la façon suivante :

■ 75 % de la première tranche de 100 $;

■ 50 % de la tranche suivante de 450 $;

■ 33⅓ % de la partie qui excède 550 $. Le crédit ne peut excéder 500 $[12].

Par exemple, si vous versez 1 000 $ à un parti politique fédéral, vous pouvez bénéficier d'un crédit de 450 $:

75 $ (100 $ X 75 %)
225 $ (450 $ X 50 %)
150 $ (450 $ X 33 ⅓ %)
450 $

Au provincial, vous pouvez bénéficier du crédit pour les contributions à des partis politiques ou à des candidats indépendants au niveau provincial. Le parti ou le candidat doit être autorisé par le directeur général des élections[13]. Le crédit correspond à :

■ 75 % de la première tranche de 200 $ de contributions politiques;

■ 50 % de la tranche suivante de 200 $, pour un crédit maximum de 250 $ par année.

À noter. Vous devez annexer les reçus signés par un représentant officiel, au fédéral et au provincial.

Les contributions au Fonds des services de santé

Au provincial, vous bénéficiez d'un crédit d'impôt si vous avez contribué au Fonds des services de santé. Ce crédit est de 20% du montant de la contribution versée. Il est non remboursable.

Vous devez contribuer au Fonds des services de santé si vous avez gagné des revenus autres que ceux provenant d'un salaire[14]. Les principaux revenus visés par cette mesure sont les suivants :

- les revenus nets d'entreprise ;
- les revenus de dividendes et d'intérêts ;
- les revenus de pensions autres que ceux reçus au titre de la pension de sécurité de la vieillesse ;
- les revenus de retraite ;
- les gains en capital imposables.

Toutefois, certaines déductions sont accordées et réduisent le montant des revenus visés. Il s'agit principalement des suivantes :

- les pensions alimentaires déductibles ;
- le ⅓ du montant imposable des dividendes ;
- les frais financiers engagés pour gagner des revenus de placements ;
- les pertes au titre de placements d'entreprise ;
- les montants qui font l'objet d'un transfert à un régime de pension agréé (RPA) ou à un régime d'épargne-retraite (REÉR).

Le montant de la contribution est calculé de la façon suivante :

Revenus visés	Contribution
0 – 5 000$	0$
5 000$ – 20 000$	1% de la partie qui excède 5 000$
20 000$ – 40 000$	150$
40 000$ – 125 000$	150$ + 1% de l'excédent de 40 000$
125 000$ et plus	1 000$

À noter. Le calcul du montant de la contribution est expliqué à l'annexe F de la déclaration de revenus.

Les impôts fonciers

Au provincial, vous pouvez réclamer un remboursement d'impôts fonciers pour un immeuble résidentiel[15]. Les propriétaires, les locataires ou les sous-locataires peuvent bénéficier de ce crédit. Le locataire ou le sous-locataire d'un logement est celui qui le louait ou le sous-louait, qui y habitait et qui était responsable du paiement du loyer au 31 décembre 1996.

Attention ! La plupart des logements sociaux (logements à loyer modique) administrés par un office municipal d'habitation ne sont pas admissibles à une demande de remboursement d'impôts fonciers.

À noter. Un remboursement ne peut pas être demandé pour un contribuable décédé dans l'année.

Si vous étiez locataire ou sous-locataire, le remboursement s'applique à la proportion des impôts fonciers attribuables à votre logement. Si vous étiez propriétaire, il porte sur l'ensemble des impôts fonciers ou sur la portion attribuable à votre logement lorsqu'il s'agit d'un immeuble locatif.

Le remboursement est calculé sur la somme des impôts fonciers excedant 430 $ pour chaque conjoint ayant habité le logement. Il correspond à 40 % de cette somme. Pour l'année 1996, cet excédent ne peut dépasser 1 285 $. Ainsi, le remboursement ne peut dépasser 514 $ (1 285 $ X 40 %)[16].

De plus, le crédit doit être réduit d'une somme égale à 3 % du revenu familial ajusté. Le calcul du revenu familial ajusté est expliqué à l'annexe B de la déclaration de revenus.

▼ *Exemple*

En 1996, Geneviève habitait avec Marc. Leur revenu net total pour cette année est de 30 000 $ et leur revenu familial total, aux fins du calcul du remboursement des impôts fonciers, est de 9 610 $ (30 000 $ – 20 390 $). Les impôts fonciers attribuables au logement sont de 2 000 $. Le crédit pour impôts fonciers est de 168 $:

Impôts fonciers	2 000 $
Moins : 430 $/par personne	860 $
Excédent	1 140 $
Remboursement (1 140 $ X 40 %)	456 $
Moins : 3 % du revenu familial ajusté (9 610 $)	288 $
Remboursement d'impôts fonciers	168 $

À noter. Pour obtenir votre remboursement d'impôts fonciers, vous devez remplir l'annexe B de la déclaration de revenus provinciale et l'expédier au plus tard le 30 avril 1997. Depuis le 20 mai 1993, le ministère du Revenu accepte une demande tardive présentée par écrit, dans les trois ans suivant la fin de l'année d'imposition[17]. Les locataires et les colocataires doivent joindre le relevé 4 à l'annexe et les propriétaires doivent fournir une copie du compte de taxes municipales et scolaires.

Les taxes à la consommation

Afin d'alléger le fardeau fiscal occasionné par la taxe sur les produits et services (TPS) et par la taxe de vente du Québec (TVQ), des crédits d'impôt remboursables sont prévus.

À noter. Au fédéral, vous cochez la case pertinente de votre déclaration de revenus et les calculs sont par la suite effectués pour vous. Au provincial, l'annexe B doit être jointe à votre déclaration de revenus.

■ Le crédit remboursable pour TPS

Le crédit remboursable pour TPS se calcule de la façon suivante :

Montant de base	199 $
Montant pour un proche admissible* ou pour une personne à charge de moins de 19 ans à l'égard de laquelle le particulier demande un crédit d'équivalent de conjoint**	199 $
Montant pour une personne à charge de moins de 19 ans	105 $

* Le proche admissible est le conjoint d'un contribuable.

** Le crédit d'équivalent de conjoint peut être demandé par une personne célibataire, séparée, divorcée ou veuve pour un enfant dont elle a la garde.

Un adulte célibataire peut demander, en plus du crédit de base, un montant additionnel. Le chef de famille monoparentale y a également droit. Le montant additionnel correspond à 2 % de la portion de son revenu net excédant la somme de 6 456 $, jusqu'à concurrence de 105 $. Il s'agit du revenu net indiqué à la déclaration de revenus. Il inclut le revenu net des enfants à charge.

Le crédit est réduit de 5 % du total de votre revenu net et de celui d'un proche admissible excédant la somme de 25 921 $.

Important. Tout contribuable de 19 ans et plus peut bénéficier du crédit remboursable pour TPS.

▼ *Exemple*

Michel et Chantal sont parents de deux jeunes enfants. Leur revenu net total de 35 000 $ en 1996 leur donne droit au crédit remboursable de TPS suivant :

Revenu net total des deux conjoints	35 000,00 $	
moins : seuil du crédit	25 921,00 $	
Solde	9 079,00 $	
Montant de base		199,00 $
Montant pour le conjoint		199,00 $
Montant pour les deux enfants (2 x 105 $)		210,00 $
Crédit total		608,00 $
Moins : 5 % de 9 079 $		453,95 $
Crédit remboursable pour T.P.S.		154,05 $

À noter. Le versement du crédit pour TPS est effectué en versements trimestriels, soit en juillet 1997, octobre 1997, janvier 1998 et avril 1998 pour l'année 1996[18].

■ Le crédit remboursable pour TVQ

Le crédit remboursable pour TVQ se calcule de la façon suivante :

Montant de base	104 $
Montant pour un conjoint vivant avec le contribuable	104 $
Montant pour un contribuable ayant droit au crédit d'impôt pour personne vivant seule	53 $
Montant pour un enfant à charge	31 $

Montant pour un contribuable qui réclame le crédit pour famille monoparentale   18$
Le crédit est réduit de 3% du revenu familial ajusté.

▼ *Exemple*

Martine et Éric sont parents d'un enfant. Ils ont un revenu net total de 28 000$ et un revenu familial ajusté de 7 610$* aux fins du calcul du crédit pour TVQ. Ils ont droit au crédit pour TVQ suivant :

Montant de base	104,00$
Montant pour le conjoint	104,00$
Montant pour un enfant (31$)	<u>31,00$</u>
Crédit total	239,00$
Moins : 3% X 7 610$	<u>228,30$</u>
Crédit pour TVQ	10,70$

* Par hypothèse

À *retenir !*

■ Si vous résidiez au Québec le 31 décembre 1996, vous devez produire votre déclaration de revenus au plus tard le 30 avril 1997, sauf si vous ou votre conjoint avez exploité une entreprise en 1996. (*Voir le chapitre «Les travailleurs autonomes».*)

■ Vous devez déclarer tous vos revenus, incluant ceux gagnés à l'étranger.

■ Vous avez cependant droit à une série de crédits d'impôt, notamment pour besoins essentiels, pour dons de charité, pour frais médicaux, etc.

■ Si vous avez contribué à un parti politique en 1996, vous avez également droit à un crédit pour contribution politique.

■ Si vous aviez des revenus autres que des salaires, vous avez peut-être à payer une contribution au Fonds des services de santé.

■ Selon votre niveau de revenus, vous pouvez avoir droit à une réduction d'impôt pour tenir compte des impôts fonciers que vous avez payé, soit directement, soit indirectement par le biais de votre loyer. De même, vous pouvez avoir droit à un crédit remboursable pour la TPS et la TVQ que vous avez payées au cours de 1996.

■ RÉFÉRENCES

1. Bulletin d'interprétation du gouvernement fédéral IT-365R2 ; *Loi de l'impôt sur le revenu* (L.I.R.), S.C., 1970-1971-1972, c.63, telle que modifiée, art. 56 (1) (u), (v), 81(1) g.1) et g.2), 110 (1) (f) ; *Loi sur les impôts* (L.I.), L.R.Q, c-I-3, art. 311 (k.1), 311.1, 495, 725 ; les prestations d'aide de dernier recours sont connues sous le nom de prestations d'aide sociale.

2. L.I.R., précitée, art. 2 ; Bulletin d'interprétation du gouvernement fédéral IT-518 ; L.I., précitée, art. 22 ; *Règlement sur les impôts* R.R.Q. 1981, c. I-3, art. 22R1

3. L.I., précitée, art. 776.62 et 1029.8.50

4. L.I.R., précitée, art. 118 (1) (c)

5. L.I., précitée, art. 752.0.1

6. L.I.R., précitée, art. 118.1 ; L.I., précitée, art. 710 à 716.1

7. L.I.R., précitée, art. 118.1 (3)

8. L.I., précitée, art. 711

9. L.I.R., précitée, art. 118.2 ; L.I., précitée, art. 752.0.12 ; Bulletin d'interprétation du gouvernement fédéral IT-519R

10. L.I., précitée, art. 37.0.1.1

11. L.I., précitée, art. 752.0.13.1 à 752.0.13.3

12. L.I., précitée, art. 127 (3)

13. *Loi électorale*, L.R.Q. c. E-3.3

14. Loi sur la Régie de l'assurance-maladie du Québec, L.R.Q., c. R- , art. 24.1.1 à 34.1.8

15 *Loi sur le remboursement d'impôts fonciers*, L.R.Q., c. R-20.1

16. *Loi sur le remboursement d'impôts fonciers*, précitée, art. 7.1

17. *Loi sur le remboursement d'impôts fonciers*, précitée, art. 15

18. L.I.R. précitée, art. 122.5

CHAPITRE 4

Les salariés

Vous étiez salarié en 1996? Vous avez sûrement constaté une différence importante entre votre salaire brut et la somme qui vous a été versée régulièrement. C'est que vous avez déjà payé des impôts aux gouvernements. Mais en avez-vous payé trop ou pas assez?

Comme n'importe quel contribuable, vous êtes imposé, en principe, sur tous vos revenus quelle qu'en soit la source. Votre situation d'employé vous oblige notamment à déclarer la plupart des avantages que vous retirez de votre emploi. Par ailleurs, certains allégements vous sont offerts.

Quels revenus déclarer?

En principe, vous devez déclarer votre salaire et tous les avantages inhérents à votre emploi, comme les pourboires, les commissions, les allocations pour des dépenses, etc.[1]. Toutefois, certains avantages n'ont pas à être déclarés et ne sont donc pas imposables[2].

À noter. Il peut arriver que votre employeur vous rembourse, sur présentation de pièces justificatives, des dépenses engagées dans le cadre de votre emploi. Ce remboursement n'est pas imposable.

■ Les avantages imposables

La valeur de plusieurs avantages accordés par votre employeur doit être incluse dans votre revenu. On calcule généralement la valeur marchande des biens ou des services fournis. Les avantages imposables sont notamment les suivants :

■ l'automobile fournie (droit d'usage et frais de fonctionnement);

■ les dons, sauf s'il s'agit d'un cadeau de 100$ ou moins que votre employeur ne déduit pas de son revenu. Un seul cadeau par année peut ainsi être exempté d'impôt sauf l'année de votre mariage pour laquelle vous avez droit à deux cadeaux de 100$ ou moins sans impôt;

■ les voyages pour vacances;

■ les primes d'encouragement et autres prix;

■ les frais de voyage de votre conjoint;

■ les frais de scolarité et les bourses d'études, sauf si les études sont entreprises à la demande de l'employeur et sont plus bénéfiques à l'employeur qu'à l'employé. Vous pouvez cependant réclamer les crédits et déductions se rapportant à ces frais;

■ les prestations d'un régime d'assurance-salaire versées en vertu d'un régime collectif auquel l'employeur contribue;

■ un prêt consenti sans intérêt ou à un taux inférieur à celui en vigueur;

■ les honoraires versés pour conseils financiers et les autres frais à l'égard de la préparation de vos déclarations de revenus;

■ les actions vendues à rabais;

■ la pension et le logement fournis gratuitement ou à bas prix, par exemple à un employé d'hôtel ou de restaurant, un domestique ou un ouvrier agricole, sauf pour un employé qui travaille sur un chantier particulier ou dans un endroit éloigné. Le travail sur un chantier particulier signifie un travail temporaire alors que l'employé maintient un établissement domestique autonome comme résidence principale dans un autre endroit. Le chantier doit être suffisamment éloigné pour qu'on ne puisse pas s'attendre à ce que l'employé y retourne tous les jours. Dans le cas d'un endroit éloigné, il doit s'agir d'un endroit trop éloigné de toute agglomération pour que l'employé puisse y maintenir un établissement domestique autonome[3];

▪ les contributions versées par votre employeur à un régime d'assurance temporaire sur la vie;

▪ au provincial seulement, les contributions versées par votre employeur à un régime privé d'assurance-maladie.

À noter. Si la valeur des avantages n'est pas incluse dans le montant indiqué sur votre relevé d'emploi (feuillet T4 au fédéral et relevé 1 au provincial), communiquez avec votre employeur pour connaître le montant à déclarer.

■ Les avantages non imposables

D'autres avantages reliés à votre emploi n'ont pas à être déclarés et ne sont donc pas imposables. Les principaux sont les suivants :

▪ les contributions de votre employeur à différents régimes comme celles à un régime de pension agréé ou à un régime d'assurance collective contre la maladie ou les accidents;

▪ les allocations raisonnables pour frais de déplacement, frais personnels ou frais de subsistance reçues par un vendeur, sans qu'il ait à présenter de pièces justificatives;

▪ les allocations raisonnables pour l'usage d'un véhicule à moteur reçues par un employé autre qu'un vendeur;

▪ une réduction raisonnable sur des marchandises ou services;

▪ un uniforme ou un vêtement spécial que vous devez porter au travail;

▪ les services de récréation;

▪ au fédéral seulement, les contributions de votre employeur à un régime d'assurance collectif contre la maladie.

Les cotisations à une association syndicale, professionnelle ou artistique reconnue

Vous pouvez déduire de votre revenu les cotisations annuelles versées à un syndicat, à la Commission de la construction du Québec, à une association de salariés reconnue, à une association artistique reconnue, à une association professionnelle pour maintenir un statut professionnel ou des cotisations à un comité paritaire[4].

À noter. Seules les sommes non remboursées par votre employeur sont déductibles.

Les primes d'assurance-emploi et les cotisations au Régime des rentes du Québec (RRQ) et au Régime de pensions du Canada (RPC)

Vous avez droit aux crédits suivants[5] :

	Fédéral (Crédit)	Provincial (Crédit)
Primes d'assurance-emploi		
Le moindre de :	195,59$ (17 % de 1 150,50$)	230,10$ (20 % de 1 150,50$)
ou	17 % du montant payable	20 % du montant payable
Cotisations au RRQ et au RPC		
Le moindre de :	151,84$ (17 % de 893,20$)	178,64$ (20 % de 893,20$)
ou	17 % du montant payable	20 % du montant payable

À noter. Si vos contributions sont supérieures aux montants payables, vous pouvez réclamer l'excédent ou le déduire de votre impôt à payer.

L'arrêt de travail à cause d'une maladie ou d'un accident

Les indemnités d'accidents de travail ne sont pas imposables. En effet, elles sont incluses dans le calcul du revenu net et déduites dans celui du revenu imposable[6].

De plus, les sommes reçues en vertu de la Loi de l'indemnisation des victimes d'actes criminels et de la Loi sur l'assurance automobile sont exclues du calcul de votre revenu[7].

À noter. Au provincial, à l'exception des sommes qui consistent en un remboursement des frais médicaux que nécessite l'état de la victime, les indemnités d'accidents de travail et les sommes reçues en vertu de la Loi sur l'assurance automobile entrent dans le calcul du revenu familial ajusté aux fins du remboursement d'impôts fonciers et autres crédits de l'annexe B et du crédit d'impôt remboursable pour les frais de garde d'enfant de l'annexe C de la déclaration de revenus.

Par contre, les prestations d'assurance-emploi, d'un régime d'assurance contre la maladie ou les accidents, d'assurance-invalidité ou d'assurance de sécurité du revenu auquel votre employeur a contribué sont imposables. Dans le cas des régimes privés, le montant à inclure est égal aux prestations reçues moins vos contributions depuis le 1er janvier 1968[8].

À noter. Les sommes reçues d'un régime d'assurance auquel votre employeur ne contribue pas ne sont pas imposables.

L'augmentation de salaire rétroactive

Le montant de l'augmentation de salaire rétroactive est imposé dans l'année où vous le recevez. Vous n'avez donc pas à produire de déclarations de revenus modifiées pour les années antérieures lorsque vous recevez ce revenu.

Les retenues à la source sont plus élevées pour tenir compte d'un revenu supérieur à celui prévu originalement.

Les frais de déplacement

Vous pouvez déduire les frais de déplacement liés à l'exercice de vos fonctions si, en 1996 :

■ vous avez travaillé ailleurs qu'à la place d'affaires de votre employeur ou à plusieurs endroits ;

■ vous avez payé les frais de déplacement se rapportant à votre emploi en vertu de votre contrat de travail ;

■ vous n'avez reçu de votre employeur aucun remboursement, ni allocation non imposable[9].

Vous pouvez également déduire la taxe sur les produits et services (TPS) et la taxe de vente du Québec (TVQ) que vous avez payées sur ces dépenses, s'il y a lieu.

Attention ! La distance parcourue entre la maison et le travail n'est pas déductible à titre de frais de déplacement. Elle est considérée être parcourue à des fins personnelles.

À noter. Vous devez annexer le formulaire T-2200 à votre déclaration de revenus fédérale et le formulaire TP-64.3 à votre déclaration provinciale. Ces formulaires constituent une attestation de votre employeur précisant que vous n'avez reçu aucune allocation ou remboursement et que vous êtes tenu par contrat d'acquitter ces frais.

■ Les dépenses d'automobile

Si vous utilisiez votre automobile dans le cadre de votre travail, vous pouvez déduire vos frais de financement, d'entretien (lubrification, lavage, etc.), d'utilisation (essence, huile, etc.) et l'amortissement. Si vous louiez une automobile pour les fins de votre travail, vous pouvez déduire vos frais de location en plus de vos frais de financement, d'entretien et d'utilisation.

À noter. Le coût des réparations effectuées à la suite d'un accident est déductible seulement si l'accident est survenu alors que l'automobile était utilisée pour gagner un revenu d'emploi. Seuls les coûts que vous avez assumés peuvent être déduits.

Vos dépenses sont déductibles au prorata du nombre de kilomètres parcourus pour les fins de votre emploi sur le kilométrage total. L'amortissement, les frais de financement et les frais de location qui peuvent être déduits sont toutefois soumis à des limites. (*Voir le chapitre « Les travailleurs autonomes ».*)

À noter. Vous devez joindre le formulaire TP-421.6 ou TP-64 à votre déclaration de revenus provinciale et le formulaire T777 à votre déclaration de revenus fédérale.

■ Les autres frais de déplacement

Les autres frais de déplacement, comme les frais de stationnement (autres que ceux engagés au lieu habituel du travail), de taxi, d'avion ou d'autobus sont déductibles en entier s'ils ont été engagés pour fins d'affaires seulement.

À noter. Il est plus avantageux de déduire les frais de stationnement de cette façon plutôt que comme une dépense d'automobile.

L'automobile fournie par l'employeur

Les ministères du Revenu fédéral et provincial considèrent que vous avez reçu un avantage imposable si votre employeur a mis une automobile à votre disposition ou à celle d'un de vos proches, pour usage personnel[10]. Ils assimilent en effet la disponibilité d'une voiture louée par l'employeur ou lui appartenant à un montant à inclure dans le revenu d'emploi.

Le montant de l'avantage imposable à inclure dans le revenu est inscrit au feuillet T4 au fédéral et au relevé 1 au provincial. Il est obtenu en additionnant une somme pour le droit d'usage et une somme pour les frais de fonctionnement payés par l'employeur tels l'assurance, l'huile, l'entretien et l'immatriculation. Le montant de l'avantage imposable tient également compte de la TPS et de la TVQ. Tout remboursement à l'employeur doit être déduit de l'avantage imposable.

À noter. Le calcul du montant de l'avantage imposable est effectué par votre employeur.

▼ *Exemple — Automobile appartenant à l'employeur*

Germain a utilisé pendant toute l'année 1996 une automobile acquise par son employeur en janvier 1996.

Coût de l'automobile (excluant la TPS et la TVQ)	30 400,00$
Kilométrage à des fins personnelles	10 000 km
Kilométrage à des fins d'affaires	40 000 km

Avantage imposable

- Droit d'usage
2 % X 30 400$ X 12 — 7 296,00$
- Avantage relatif à la TPS et à la TVQ
13,955 % X 7 296$ — 1 018,16$
- Frais de fonctionnement
0,13$ X 10 000 km — 1 300,00$

Total de l'avantage imposable — 9 614,16$

À noter. Les calculs sont plus complexes pour les automobiles acquises avant 1992.

▼ *Exemple — Automobile louée par l'employeur*

Johanne a utilisé pendant toute l'année 1996 une automobile louée par son employeur.

Frais de location mensuels (excluant les assurances, la TPS et la T.V.Q.)	400$
Kilométrage à des fins personnelles	20 000 km
Kilométrage à des fins d'affaires	60 000 km

Avantage imposable

- Droit d'usage
2/3 X 400$ X 12 mois — 3 200,00$
- Avantage relatif à la TPS et à la TVQ
13,955 % X 3 200$ — 446,56$
- Frais de fonctionnement
0,13$ X 20 000 km — 2 600,00$

Total de l'avantage imposable — 6 246,56$

À noter. Les calculs sont plus complexes pour les automobiles louées avant 1992.

L'AUTOMOBILE FOURNIE PAR L'EMPLOYEUR		
Avantage imposable	**Automobile appartenant à l'employeur**	**Automobile louée par l'employeur**
Droit d'usage	2 % du coût de l'automobile (excluant la TPS et la TVQ) multipliés par le nombre de mois où l'automobile était à la disposition de l'employé	⅔ des frais de location mensuels (excluant les assurances, la TPS et la TVQ) multipliés par le nombre de mois où l'automobile était à la disposition de l'employé
Plus TPS, TVQ	13,955 % du droit d'usage	13,955 % du droit d'usage
Droit d'usage (si l'employé parcourt moins de 1 000 km par mois à des fins personnelles (12 000 km par année) et si au moins 90 % des kilomètres parcourus sont reliés à l'emploi)	Droit d'usage (plus TPS et TVQ) multiplié par le nombre de kilomètres parcourus par mois à des fins personnelles ÷ 1 000 multiplié par le nombre de mois où l'automobile était à la disposition de l'employé	Droit d'usage (plus TPS et TVQ) multiplié par le nombre de kilomètres parcourus par mois à des fins personnelles ÷ 1 000 multiplié par le nombre de mois où l'automobile était à la disposition de l'employé
Frais de fonctionnement	0,13 $* multipliés par le nombre de kilomètres parcourus à des fins personnelles ou ½ de l'avantage pour droit d'usage**	0,13 $* multipliés par le nombre de kilomètres parcourus à des fins personnelles ou ½ de l'avantage pour droit d'usage**

À noter. Pour les fins de ce tableau, l'automobile fournie par l'employeur est acquise ou louée en 1996. Dans les autres cas, les calculs à effectuer sont plus complexes.

* L'avantage relié aux frais de fonctionnement est calculé selon un taux fixe de 0,13 $ par kilomètre parcouru à des fins personnelles. Ce taux inclut la TPS et la TVQ.

Important. Pour les contribuables dont la vente ou la location d'automobile constitue le principal emploi, le pourcentage pour droit d'usage est de 1,5 % et le taux de l'avantage relié au frais de fonctionnement est de 0,10 $ par kilomètre parcouru à des fins personnelles. Ce taux inclut la TPS et la TVQ.

**L'employeur peut décider de calculer l'avantage pour les frais de fonctionnement de cette façon pour simplifier sa comptabilité en obtenant la permission écrite de l'employé avant la fin de l'année. L'automobile doit être principalement (plus de 50 %) utilisée par l'employé dans l'exercice de ses fonctions.

Les commissions

Si vos fonctions étaient liées à la vente de biens ou de services ou à la négociation de contrats pour votre employeur en 1996, vous pouvez déduire certaines dépenses. Les conditions suivantes doivent être respectées :

- vous étiez obligé d'acquitter ces dépenses en vertu de votre contrat d'emploi ;
- vous deviez exercer vos fonctions, en totalité ou en partie, ailleurs qu'à la place d'affaires de votre employeur ;
- vous étiez rémunéré, en totalité ou en partie, par des commissions ou des sommes déterminées en fonction des ventes effectuées ou des contrats négociés ;
- vous n'avez reçu aucune allocation pour frais de déplacement non incluse dans vos revenus[11].

Les dépenses doivent avoir été engagées pour gagner votre revenu. Il peut s'agir, par exemple, des dépenses suivantes :

- les frais de déplacement ;
- les frais de bureau ;
- les frais de promotion ;
- le salaire d'un adjoint ;
- 50 % des frais de repas et de représentation.

La déduction totale ne peut dépasser le montant des commissions reçues dans l'année. Toutefois, cette limite ne s'applique pas aux frais de bureau, aux fournitures utilisées dans l'exercice des fonctions et au salaire d'un adjoint. Elle ne s'applique pas non plus aux frais de déplacement, sauf si vous réclamez d'autres dépenses qui sont limitées au montant de vos commissions. Dans ce cas, si ces frais excèdent le montant de vos commissions, vous pouvez choisir de déduire seulement ces frais.

Attention ! Au provincial, les dépenses déductibles des travailleurs à commission doivent être réduites du moins élevé des montants suivants :

- le montant des dépenses ;

▮ 6% des commissions brutes ; ou

▮ 750$.

À noter. Vous devez annexer les formulaires T-2200 et T777 au
fédéral et les formulaires TP-64.3, TP-66, TP-421.6 au
provincial, selon les dépenses réclamées.

Les artistes

Les artistes salariés bénéficient d'un statut particulier. Ils peuvent déduire certaines dépenses provenant de leur activité artistique de leur revenu d'emploi.

La déduction totale des dépenses d'artistes afférentes à un emploi ne doit pas dépasser le moindre des montants suivants :

▮ les dépenses réellement encourues pour gagner le revenu d'emploi ; ou

▮ le moins élevé de 1000$ ou 20% du revenu d'emploi provenant de l'activité artistique moins les frais relatifs à un instrument réclamés par ailleurs et les frais relatifs à un véhicule réclamés par ailleurs.

D'autre part, au provincial, les artistes membres d'une association d'artistes reconnue bénéficient d'une déduction dans le calcul de leur revenu imposable ayant pour effet d'exonérer d'impôt une partie de leur revenu provenant de droits d'auteur.

La déduction, d'un maximum de 15 000$, se calcule comme suit :

Revenus de l'artiste provenant de droits d'auteur	Montant de la déduction accordée
Revenus inférieurs à 20 000$	Montants des droits d'auteur jusqu'à conccurence de 15 000$
Revenus se situant entre 20 000$ et 30 000$	15 000$ moins 1,5 fois les revenus de droits d'auteur qui excèdent 20 000$
Revenus de plus de 30 000$	Aucune déduction

Le déménagement

Si vous avez déménagé pour travailler dans un autre endroit au Canada, vous pouvez déduire vos frais de déménagement[12]. Vous devez vous rapprocher d'au moins 40 km de votre nouveau lieu de travail. De plus, les frais ne doivent pas être remboursés par votre employeur.

Les frais sont déductibles seulement jusqu'à concurrence du revenu provenant de votre nouvel emploi. Tout excédent peut être déduit de ce type de revenu au cours de l'année d'imposition subséquente.

Les frais admissibles à la déduction englobent la plupart des frais usuels de déménagement comme :

- vos frais de déplacement et ceux de votre conjoint et de vos enfants, y compris les frais de repas et d'hébergement pendant le trajet. Par exemple, les frais d'avion et d'hôtel sont déductibles;
- les frais de transport et d'entreposage de meubles;
- vos frais de repas et de logement temporaire ainsi que ceux de votre conjoint et de vos enfants, engagés près de votre nouvelle ou de votre ancienne résidence, pour une période maximale de 15 jours;
- les frais de résiliation de bail de l'ancienne résidence;
- les frais de vente de l'ancienne résidence;
- les frais juridiques engagés à l'achat de la nouvelle résidence ainsi que tout impôt payable au transfert ou à l'enregistrement du nouveau titre de propriété, si vous ou votre conjoint avez vendu l'ancienne résidence en raison du déménagement.

À noter. Vous devez joindre le formulaire T1-M dûment rempli à la déclaration de revenus fédérale. Au provincial, le formulaire TP-347 et les pièces justificatives doivent être annexés à la déclaration de revenus.

Le travail à l'étranger

Lorsque vous êtes résident canadien, vous devez payer l'impôt sur tous vos revenus gagnés au Canada et à l'étranger. Des crédits et déductions sont toutefois prévus.

À noter. Certains pays ont conclu avec le Canada des conventions fiscales modifiant les règles d'imposition. Il faut donc vérifier si une telle convention existe avec le pays où vous avez travaillé.

■ Le crédit d'impôt pour emploi à l'étranger (fédéral)

Vous pouvez déduire un certain montant de votre impôt à payer si vous avez travaillé à l'étranger pendant plus de six mois consécutifs. Ce crédit s'applique seulement à certains types d'entreprises comme celles touchant les secteurs de la construction, de l'ingénierie, de l'exploration et de la mise en valeur de ressources. Les services rendus dans le cadre d'un programme d'aide canadien au développement international (ACDI) ne sont pas admissibles.

Le montant exempté résulte d'un calcul complexe en fonction du nombre de jours dans l'année passés à l'étranger et du revenu gagné[13].

À noter. Vous devez remplir le formulaire T626 et l'annexer à votre déclaration de revenus fédérale.

■ La déduction pour emploi à l'étranger (provincial)

Une déduction existe au niveau du calcul du revenu d'emploi. Les conditions d'application sont similaires à celles du crédit accordé au fédéral. La période de travail à l'étranger doit être d'au moins 30 jours consécutifs. La déduction est proportionnelle au nombre de mois complets travaillés à l'étranger. Par exemple, si vous avez travaillé à l'étranger de janvier à octobre 1996, vous bénéficiez d'une déduction équivalant aux $^{10}/_{12}$ du salaire versé durant cette période[14].

À noter. Vous devez annexer à votre déclaration de revenus le relevé 17 fourni par votre employeur et faisant état de la déduction admissible.

■ Le crédit d'impôt pour impôt étranger (fédéral et provincial)

Si vous avez payé de l'impôt à l'étranger, il est possible de déduire à titre de crédit d'impôt une partie de cet impôt, aux deux niveaux de gouvernement[15]. Ce crédit vise à éviter que vous soyez imposé deux fois pour le même revenu. Par ailleurs, les gouvernements s'assurent également que le montant total du crédit ne dépasse pas le montant d'impôt déjà payé à l'étranger.

À noter. Vous pouvez réclamer ce crédit en remplissant le formulaire T2209 au fédéral et le formulaire TP-772 au provincial.

Le travail dans une autre province

Si vous avez travaillé dans une autre province en demeurant résident du Québec, des impôts à la source ont été retenus dans cette autre province. Vous pouvez déduire de votre impôt à payer au provincial 45 % des sommes retenues à la source dans cette autre province[16]. Le solde (55 %) vous est remboursé par le ministère du Revenu fédéral lorsqu'il émet votre avis de cotisation.

Le licenciement

Les sommes reçues de votre employeur en compensation de la perte de votre emploi ou lors d'un congédiement ou d'un licenciement sont considérées par le fisc comme des allocations de retraite[17]. De plus, le paiement des congés de maladie est considéré comme une allocation de retraite, alors que le paiement des vacances accumulées est considéré comme un revenu d'emploi[18].

Les sommes versées à titre d'allocations de retraite doivent être incluses dans votre revenu. Elles ne sont pas admissibles au crédit d'impôt pour revenu de pension. Vous pouvez toutefois, pour diminuer vos impôts, les transférer dans un régime enregistré d'épargne-retraite (REÉR) ou dans un régime de pension agréé (RPA) jusqu'à concurrence de :

- 2 000 $ par année de service pour chaque année antérieure à 1996 ; plus

- 1 500 $ par année de service pour chaque année antérieure à 1989 pour laquelle vous n'étiez pas membre d'un RPA ou d'un régime de participation différé aux bénéfices (RPDB), ou 1 500 $ par année de service pour chaque année antérieure à 1989 pour laquelle vous étiez membre d'un RPA ou d'un RPDB et pour laquelle des cotisations de votre employeur ne vous ont pas été acquises. C'est le cas si vous ne pouvez pas bénéficier des cotisations versées par votre employeur, par exemple en vertu de restrictions dans votre contrat de travail[19].

Ce transfert n'affecte pas la contribution normale de l'année au REÉR.

Important. Toute fraction d'année compte pour une année complète aux fins du calcul des années de service.

Attention! Il est préférable de demander à votre employeur de transférer directement les sommes dans votre REÉR. Vous évitez ainsi les retenues à la source sur ces sommes.

À noter. Il n'est pas possible de transférer dans un REÉR, en franchise d'impôts, les paiements reçus à titre d'allocations de retraite pour une année de service se terminant après 1995.

▼ *Exemple*

Le 31 décembre 1996, Jacques quitte son emploi. Il reçoit 20 000$ de son employeur à titre d'allocation de départ. Cette somme est considérée comme une allocation de retraite par le fisc. Jacques a travaillé six ans et demi à cet endroit, dont 5 ans et demie avant 1996. Il a toujours été membre du RPA de la société.

Jacques doit inclure 20 000$ dans ses autres revenus. Il peut décider de transférer jusqu'à 12 000$ (2 000$ X 6 années ou parties d'année) dans son REÉR.

À noter. Vous pouvez également déduire certains frais judiciaires.

Si vous remboursez à votre employeur des sommes précédemment incluses dans votre revenu, vous pouvez déduire ces sommes[20].

Les frais judiciaires

Certains frais judiciaires sont déductibles, notamment ceux engagés pour :

■ obtenir une allocation de retraite, jusqu'à concurrence des allocations reçues dans l'année. Celles-ci doivent être incluses dans votre revenu de 1996 et ne pas avoir été transférées dans un REÉR ou un RPA;

■ recouvrer un salaire ou des commissions de votre employeur ou de votre ex-employeur, s'il est établi que ces sommes vous sont dues[21].

À noter. Les frais non déduits au cours d'une année pour obtenir une allocation de retraite peuvent être reportés pendant les sept années suivantes, en respectant les mêmes limites.

Le remboursement des taxes à la consommation

Si vous avez payé la TPS et la TVQ sur les dépenses que vous pouvez déduire comme employé, vous pouvez avoir droit à des rembourse-ments.

Pour demander ces remboursements, vous devez compléter les for-mulaires GST-370 au fédéral et VD-358 au provincial et les joindre à vos déclarations de revenus.

Les montants de remboursements versés sont imposables dans l'année suivante ou réduisent le coût en capital des biens amortissables.

Au fédéral, le montant s'élève à 7/107 des dépenses nettes donnant droit à un remboursement. Au provincial, le facteur de rembourse-ment est de 0,0610.

À noter. Au provincial, certaines dépenses comme l'amortissement sur les automobiles acquises avant le 1er août 1995 ne donnent pas droit au remboursement de la TVQ.

À retenir!

■ Si vous étiez salarié au cours de 1996, vous devez payer l'impôt non seulement sur votre salaire mais également sur certains de vos avantages d'emploi. Ainsi, la valeur de vos avantages à l'égard d'une automobile fournie, d'un prêt à intérêt faible ou nul, des actions émises de votre employeur, etc., doit être incluse dans votre revenu à titre d'avantages imposables.

■ Certains avantages d'emploi sont cependant non imposables.

■ Vous pouvez déduire de votre revenu d'emploi certaines déductions, notamment les contributions à un régime de pension de votre employeur, les cotisations syndicales ou professionnelles, etc.

■ Si vous avez travaillé à l'étranger pour votre employeur canadien ou québécois, vous pouvez avoir droit à certains crédits ou à certaines déductions.

■ RÉFÉRENCES

1. *Loi de l'impôt sur le revenu* (L.I.R.), S.C., 1970-1971-1972, c. 63, telle que modifiée, art. 6 (1) (a); *Loi sur les impôts* (L.I.), L.R.Q., c. I-3, art. 37

2. L'imposition ou la non-imposition d'un avantage reçu de l'employeur résulte souvent d'une interprétation du ministère du Revenu. Celui-ci peut modifier son point de vue même si le texte de loi ne change pas.

3. L.I.R., précitée, art. 6 (1); L.I., précitée, art. 47; Bulletins d'interprétation du gouvernement fédéral IT-470R et IT-91R3

4. L.I.R., précitée, art. 8 (1) i); L.I., précitée, art. 68

5. L.I.R., précitée, art. 118.7

6. L.I.R., précitée, art. 56 (1) (v) et 110 (1) (f) (ii); L.I., précitée, art. 311 k.1) et 725 b); Bulletin d'interprétation du gouvernement fédéral IT-202R2

7. L.I.R., précitée, art. 81 (1) q); L.I., précitée, art. 488; *Règlement sur les impôts*, R.R.Q., 1981, c. I-3, r.1, tel que modifié, art. 488R1

8. L.I.R., précitée, art. 56 (1) a) iv), 6 (1) f); L.I., précitée, art. 311 c), 43

9. L.I.R., précitée, art. 8 (1) h); L.I., précitée, art. 63

10. L.I.R., précitée, art. 6 (1) a) e), (2), (2.1), (2.2); L.I., précitée, art. 37, 41, 41.1; Bulletin d'interprétation du gouvernement fédéral IT-63R5

11. L.I.R., précitée, art. 8 (1) f), 8 (4); L.I., précitée, art. 62, 65

12. L.I.R., précitée, art. 62; L.I., précitée, art. 347, 348, 349 et 350; Bulletin d'interprétation du gouvernement fédéral IT-178R3

13. L.I.R., précitée, art. 122.3; Bulletin d'interprétation du gouvernement fédéral IT-497R2

14. L.I., précitée, art. 79.1
15. L.I.R., précitée, art. 126; L.I., précitée, art. 772; Bulletin d'interprétation du gouvernement fédéral IT-270R2
16. L.I.R., précitée, art. 154 (2); L.I., précitée, art. 1020, 1021
17. Bulletin d'interprétation du gouvernement fédéral IT-337R2
18. Bulletin d'interprétation du gouvernement fédéral IT-337R2
19. L.I.R., précitée, art. 60 (j.1); L.I., précitée, art. 339 (d.1)
20. L.I.R., précitée, art. 8(1)n); L.I., précitée, art. 78.1
21. L.I.R., précitée, art. 8 (1) b), 60 o.1); L.I., précitée, art. 77, 336 1)e.1); Bulletin d'interprétation du gouvernement fédéral IT-99R4

CHAPITRE 5

Les travailleurs autonomes

Si vous avez travaillé à votre compte, seul ou avec d'autres, vous devez déclarer tous les revenus provenant de votre entreprise, qu'ils aient été versés en argent, en équivalent d'argent ou sous forme d'échange (troc). Par ailleurs, vous pouvez déduire les dépenses engagées pour gagner ces revenus, parfois en totalité, parfois en partie, dans la mesure où elles sont justifiées et raisonnables[1].

Vous, de même que votre conjoint, avez jusqu'au 15 juin 1997 pour produire vos déclarations de revenus. Toutefois, le solde exigible des impôts de l'année 1996 est payable au plus tard le 30 avril 1997 et les intérêts sur les montants en souffrance sont calculés à compter de cette date.

Attention. Jusqu'en 1994, un travailleur autonome pouvait déclarer son revenu d'entreprise selon la période d'exercice financier de son entreprise, dont la fin ne correspondait pas nécessairement avec celle de l'année civile, et ainsi retarder considérablement le paiement des impôts. Depuis 1995, tous les travailleurs autonomes doivent déclarer leurs revenus d'entreprise selon l'année civile.

Qui est le travailleur autonome?

L e travailleur autonome rend des services à ses propres clients. Il encourt des risques financiers puisqu'il doit générer des revenus et assumer ses dépenses. Le même genre de travail peut être exécuté par un employé ou par un travailleur autonome. Le contexte dans lequel il est effectué détermine le statut du travailleur. Par exemple, un médecin qui possède sa propre clinique est qualifié de travailleur autonome, alors que celui qui travaille 35 heures par semaine dans un centre local de services communautaires (CLSC) est généralement un employé.

Le travailleur autonome ne bénéficie d'aucun des avantages sociaux accordés à un employé, notamment les vacances payées, les congés de maladie, les fonds de pension, etc. Il a habituellement un mandat bien précis à exécu-

ter sans avoir à rendre compte des moyens utilisés ou de son horaire quotidien de travail. Le travailleur autonome n'est pas sous la supervision ou le contrôle d'une autre personne.

Un employé peut aussi se retrouver avec le statut de travailleur autonome s'il exerce d'autres activités, par exemple s'il est pigiste à l'extérieur de son cadre régulier de travail. Il inclut alors dans ses déclarations de revenus le salaire reçu de son employeur à titre de revenu d'emploi et son revenu de pigiste comme revenu d'entreprise.

Un travailleur autonome peut avoir un, deux ou plusieurs clients. S'il n'a qu'un seul client, il peut arriver que les autorités fiscales le considèrent plutôt comme un employé. Tout dépend du contexte dans lequel le travail est effectué.

Les frais d'un bureau

Vous pouvez déduire les dépenses engagées pour un local nécessaire à l'exercice de vos fonctions[2]. Il peut s'agir d'un local loué ou d'une ou plusieurs pièces de votre résidence principale. Les autres dépenses que vous avez supportées, comme les frais d'assurance sur les biens, les impôts fonciers, les frais d'intérêt sur une hypothèque, le chauffage, l'électricité, le téléphone et l'entretien sont également déductibles. Certaines dépenses effectuées afin de rendre votre local accessible aux clients ou employés handicapés sont également entièrement déductibles dans l'année où elles sont engagées.

Si votre local était loué uniquement à des fins d'affaires, le loyer payé et les autres frais sont entièrement déductibles. Si une ou quelques pièces seulement de votre résidence principale étaient utilisées à des fins d'affaires, seule une portion des frais est déductible. Cette portion correspond à la fraction de la superficie totale de votre résidence servant à des fins d'affaires. Les frais engagés uniquement à des fins d'affaires, comme les frais d'une ligne téléphonique commerciale sont cependant déductibles en entier. Si une ligne privée est utilisée à des fins d'affaires, une portion raisonnable des frais est généralement déductible.

Si vous avez commencé à utiliser une partie de votre résidence à des fins d'affaires, vous êtes présumé avoir vendu cette partie, sauf si vous faites un choix à l'effet contraire. Si tel est le cas, vous ne pouvez réclamer aucune déduction pour amortissement. Si vous déduisez l'amortissement, vous êtes imposé sur le gain en capital lors d'une vente ultérieure de la résidence. Le gain en capital est calculé sur la partie de votre résidence qui a servi à des fins d'affaires et pour le temps pendant lequel elle a été utilisée à ces fins. Il est donc généralement préférable de ne pas réclamer de dépenses d'amortissement.

▼ *Exemple*

Benoît est architecte. Il a utilisé 10% de la superficie de sa résidence pour son bureau en 1996. Outre les dépenses engagées uniquement à des fins d'affaires, Benoît peut déduire les dépenses de bureau à domicile suivantes de son revenu :

Entretien (500$ X 10%)	50$
Électricité (960$ X 10%)	96$
Chauffage (1 200$ X 10%)	120$
Intérêts sur hypothèque (7 000$ X 10%)	700$
Total des dépenses déductibles	966$

À noter. Au provincial, pour un exercice financier débutant après le 9 mai 1996, la déduction pour frais de bureau à domicile est limitée à 50% des dépenses qui serait autrement déductibles. Ainsi, dans l'exemple précédent, si la période de l'exercice financier de Benoît avait été du 10 mai 1996 au 31 décembre 1996 et si l'ensemble des dépenses avaient été engagées au cours de cette même période, Benoît n'aurait pu déduire de son revenu, au provincial, que 483$ plutôt que 966$.

À noter. Les frais d'un bureau à domicile sont déductibles seulement si l'une des conditions suivantes est respectée :

▌ le bureau était votre principale place d'affaires ; ou

▌ il était utilisé uniquement pour gagner un revenu et pour rencontrer des clients ou des patients sur une base régulière[3].

Vous ne pouvez pas réclamer des frais de bureau à domicile plus élevés que le revenu tiré de votre profession ou de votre métier[4]. Vous ne pouvez donc pas déclarer un déficit pour une année d'imposition en réclamant des dépenses pour un bureau à la maison. Par contre, tout excédent des dépenses sur votre revenu peut être reporté à l'année subséquente pour réduire le revenu de votre profession ou de votre métier pour cette année.

Important. Pour les dépenses d'entretien et de réparation relatives à l'occupation commerciale d'une partie de votre résidence principale, vous devez joindre à votre déclaration de revenus provinciale le formulaire TP10-86.R.23.12.

Les dépenses d'équipement

Il n'est pas toujours permis de déduire en entier vos dépenses d'équipement lors de l'année d'acquisition. Une déduction pour amortissement est cependant autorisée. Cette déduction s'applique chaque année pour compenser la détérioration d'un bien. Des catégories de biens sont prévues dans la loi. Un taux d'amortissement s'applique à chaque catégorie. L'amortissement est calculé en multipliant le coût en capital du bien par le taux d'amortissement permis.

De l'équipement de bureau peut être utilisé dans l'exercice d'une profession ou d'un métier, par exemple un bureau, une bibliothèque, etc. Ces objets font partie de la catégorie 8 et leur coût est amortissable au taux de 20 % par année sur le solde dégressif.

L'équipement informatique, dont le micro-ordinateur et les logiciels de système, est classifié dans la catégorie 10 et s'amortit au taux de 30 % par année sur le solde dégressif. Quant aux logiciels d'application (traitement de texte ou tableur, par exemple), ils font partie de la catégorie 12 qui offre un taux d'amortissement de 100 %.

Attention ! Afin de tenir compte des changements technologiques actuels, certains biens peuvent être classés depuis 1993 dans une catégorie distincte. Il s'agit des ordinateurs (incluant les logiciels de système et d'application), des photocopieurs, de l'équipement de communication électronique, par exemple un télécopieur, et de l'équipement téléphonique. Cette mesure permet de vous prévaloir d'une perte fiscale, s'il y a lieu, lorsque vous vous départissez de chacun de ces biens dans les cinq années de leur acquisition.

À noter. Dans l'année d'acquisition d'un bien, il faut réduire de moitié l'amortissement autrement permis. Pour les années subséquentes, l'amortissement est calculé sur le coût du bien moins l'amortissement déduit dans les années précédentes, c'est-à-dire sur le solde dégressif.

Il existe au provincial des mesures favorisant la modernisation des entreprises québécoises. Pour les ordinateurs et les logiciels de système (réseau ou système d'exploitation, par exemple) acquis après le 12 mai 1988, le taux d'amortissement est de 100 % et la règle de la demi-année ne s'applique pas. Pour être admissibles, les biens doivent être neufs et doivent être utilisés au Québec pour une période minimale de deux ans.

Ces biens sont classés dans la catégorie 12.

▼ Exemple

Anne est avocate. Elle a débuté en affaires le 1er avril 1996. Son exercice financier s'est terminé le 31 décembre 1996. Elle a acquis les équipements suivants pour exercer sa profession :

	Coût	Catégorie	Taux (fédéral)	Taux (provincial)
Équipement de bureau	10 000$	8	20 %	20 %
Micro-ordinateur	8 000$	10	30 %	s/o
		12	s/o	100 %
Logiciels d'application	3 000$	12	100 %	100 %

Comme l'exercice financier n'a duré que 9 mois, Anne doit réclamer l'amortissement dans une proportion de 9 mois sur 12. Au fédéral, Anne peut déduire les dépenses d'amortissement suivantes de son revenu pour l'année 1996 :

Équipement de bureau	10 000$ X 20 % X 9/12 X 1/2*	750$
Micro-ordinateur	8 000$ X 30 % X 9/12 X 1/2*	900$
Logiciels d'application	3 000$ X 100 % X 9/12 X 1/2*	1 125$
Total		2 775$

Au provincial, la déduction permise est la suivante :

Équipement de bureau	10 000$ X 20 % X 9/12 X 1/2*	750$
Micro-ordinateur	8 000$ X 100 % X 9/12**	6 000$
Logiciels d'application	3 000$ X 100 % X 9/12 X 1/2*	1 125$
Total		7 875$

* L'amortissement permis doit être réduit de moitié dans l'année d'acquisition d'un bien.

** La règle de la demi-année ne s'applique pas au provincial pour certaines pièces d'équipement informatique.

Attention ! Si l'équipement était loué, la dépense de location est entièrement déductible. Il arrive souvent que des travailleurs autonomes louent de l'équipement comme des magnétoscopes, des télécopieurs, des photocopieurs ou des téléphones cellulaires.

Les documents à fournir avec les déclarations de revenus

Généralement, le travailleur autonome n'a pas à joindre de pièces (factures, copies de chèques) à ses déclarations de revenus pour justifier les dépenses engagées pour gagner son revenu. Il doit cependant les conserver en cas d'une éventuelle vérification par le fisc. Par contre, au fédéral, un état de revenus et dépenses doit être fourni. Les formulaires T2032 (profession libérale) ou T2124 (entreprise) peuvent également être utilisé. Au provincial, le formulaire TP-80 doit être rempli et annexé à la déclaration de revenus.

Les frais de déménagement

Vous pouvez déduire vos frais de déménagement si vous commencez à faire affaires ailleurs au Canada. Les conditions d'application et les frais admissibles à la déduction sont les mêmes que si vous étiez un salarié. (*Voir le chapitre «Les salariés».*) Les frais sont déductibles jusqu'à concurrence du revenu de votre nouvelle entreprise.

Les frais de déplacement

Les déductions pour les dépenses d'automobile sont limitées. L'achat ou la location, la date d'acquisition de l'automobile et le nombre de kilomètres parcourus à des fins d'affaires sont tous des facteurs à considérer dans le calcul de la déduction.

Votre automobile peut avoir été utilisée à la fois à des fins d'affaires et à des fins personnelles. Les frais d'utilisation sont alors déductibles proportionnellement au kilométrage parcouru à des fins d'affaires. Le médecin, par exemple, se rend de sa clinique à l'hôpital. Les kilomètres parcourus le sont alors à des fins d'affaires. Par contre, la distance parcourue entre sa résidence et sa clinique est considérée l'être à des fins personnelles.

▼ Exemple — Achat d'une automobile

Jean est notaire. Il a acheté le 1er janvier 1996 une automobile au coût de 30 000 $ qu'il utilise pour son travail et à des fins personnelles. Il est inscrit aux fins de la taxe sur les produits et services (TPS) et de la taxe de vente du Québec (TVQ).

Frais d'essence, d'entretien, de réparation	2 400$
Frais d'intérêts	2 000$
Frais d'immatriculation	1 500$
Frais d'assurance	600$
Kilométrage pour affaires	15 000 km
Kilométrage total	30 000 km

Jean peut déduire le montant suivant s'il utilise l'automobile à des fins d'affaires pendant 12 mois :

■ Amortissement (maximum admissible) :

24 000$ + TPS + TVQ
24 000$ + 1 680$ + 1 669$
27 349$ X 30 % X ½*   4 102$

■ Frais d'intérêts

Le moindre de :

intérêts payés ou   2 000$

$300\ \$ \times \dfrac{365\ jours}{30}$ 3 650$

■ Autres frais
(2 400$ + 1 500$ + 600$)   4 500$

Total des frais   10 602$

Moins :

Portion personnelle

$10\ 602\$ \times \dfrac{15\ 000\ km}{30\ 000\ km}$ 5 301$

Total des frais déductibles   5 301$

* L'amortissement est réduit de moitié dans l'année d'acquisition.

À noter. Les dépenses sont nettes de tout remboursement de TPS et de TVQ réclamé. Ces remboursements sont demandés par le biais de la production des rapports trimestriels ou mensuels de réclamation. Le remboursement de la TPS et de la TVQ payées lors de l'achat d'une automobile qui est utilisée entre 10 % et 90 % à des fins d'affaires ne peut être demandé que lorsque le montant de la déduction pour amortissement de l'automobile est connu. Le montant du remboursement se calcule chaque année de la façon suivante :

Au fédéral :

$$\dfrac{\text{Amortissement déductible} \times \text{le nombre de kilomètres à des fins d'affaires} \times {}^{7}\!/_{107}}{\text{le nombre total de kilomètres}}$$

$$4\ 102\$ \times \dfrac{15\ 000}{30\ 000} \times {}^{7}\!/_{107} = 134\$$$

Au provincial (pour les véhicules achetés après le 31 juillet 1995) :

$$\dfrac{\text{Amortissement déductible} \times \text{le nombre de kilomètres à des fins d'affaires} \times 0{,}0610}{\text{le nombre total de kilomètres}}$$

$$4\ 102\$ \times \dfrac{15\ 000}{30\ 000} \times 0{,}0610 = 125\$$$

Le montant du remboursement reçu réduit la dépense d'amortissement qui peut être réclamée l'année suivante.

Attention ! Il n'y a pas de remboursement de TVQ sur les véhicules routiers achetés avant le 1er août 1995.

▼ Exemple — Location d'une automobile

Julie est photographe. Elle loue depuis le 1er janvier 1996 au coût de 500 $ par mois (6 000 $ par année) une automobile dont le prix suggéré est de 35 000 $. Elle l'a utilisée à des fins d'affaires et à des fins personnelles. Elle n'est pas inscrite aux fins de la TPS et de la TVQ.

Frais d'essence, d'entretien, de réparation	2 000 $
Frais d'immatriculation	1 000 $
Kilométrage pour affaires	15 000 km
Kilométrage total	30 000 km

Julie peut déduire le montant suivant si elle utilise l'automobile à des fins d'affaires durant 12 mois :

■ Frais de location
Le moindre de :

741 $ (650 $ + TPS + TVQ) X $\frac{365}{30}$ ou   9 015 $

6 000 $ X 27 349 $* (24 000 $ + TPS + TVQ)   5 516 $ 5 516 $

* 85 % X 35 000 $ (prix suggéré par le fabricant incluant taxes)

■ Autres frais (incluant TPS et TVQ)   3 000 $
  (2 000 $ + 1 000 $)

Total des frais   8 516 $

Moins :

Portion personnelle

8 516 $ X $\frac{15\,000}{30\,000}$ <u>4 258 $</u>

Total des frais déductibles   4 258 $

Toutes les autres dépenses de déplacement, comme les frais de taxi, d'avion, d'autobus ou de stationnement engagés à des fins d'affaires, sont déductibles en entier.

À noter. Quant à la location avec option d'achat, l'interprétation des faits et des clauses du contrat permet de déterminer si elle doit être traitée comme un achat ou une location[9].

Attention ! Le travailleur autonome qui n'est pas inscrit aux fins de la TPS et de la TVQ ne peut réclamer aucun remboursement pour taxes payées sur les dépenses engagées.

LES DÉPENSES	
Déductions	**Automobile acquise ou louée après le 31 août 1989**
Frais de financement	Le montant payé, jusqu'à concurrence de 300$ par période de 30 jours, est déductible au prorata du nombre de kilomètres parcourus à des fins d'affaires.
Taux d'amortissement	30%
Coût amortissable (maximal)	24 000$ (+TPS + TVQ - CTI et RTI réclamés, s'il y a lieu*)
Frais de location	Le moins élevé des montants suivants : • Frais de location réels 650$ (+ TPS + TVQ - CTI et RTI réclamés, s'il y a lieu*) X le nombre de jours de location écoulés depuis le début du contrat – Frais de location déduits 30　　　　　　　Dans les années précé- 　　　　　　　　　dentes ou • Frais de location pour l'année X $\frac{24\ 000\$ (+ TPS + TVQ - CTI\ et\ RTI\ réclamés, s'il\ y\ a\ lieu*)}{85\%\ du\ prix\ suggéré\ par\ le\ fabricant**}$ (minimum 28 235 $ + TPS + TVQ - CTI et RTI réclamés, s'il y a lieu*) Le montant obtenu est déductible au prorata du nombre de kilomètres parcourus à des fins d'affaires sur le kilométrage total.
Frais d'utilisation (amortissement, essence, lubrifications, réparations, etc.)	Déductibles au prorata du nombre de kilomètres parcourus à des fins d'affaires sur le kilométrage total

| **D'AUTOMOBILE** | |
Automobile acquise ou louée entre le 18 juin 1987 et le 31 août 1989	**Automobile acquise ou louée avant le 18 juin 1987**
Le montant payé, jusqu'à concurrence de 250$ par période de 30 jours, est déductible au prorata du nombre de kilomètres parcourus à des fins d'affaires.	*Au fédéral* 100% des frais *Au provincial* 20% des frais
30%	30%
20 000$	*Au fédéral* aucune limite *Au provincial* 16 000$
Le moins élevé des montants suivants : • Frais de location réels 650$ X le nombre de jours de location écoulés <u>depuis le début du contrat</u> – Frais de location déduits 30 dans les années précédentes ou • Frais de location pour l'année X <u>20 000$</u> (+ TVP) 85% du prix suggéré par le fabricant** (minimum 23 529$ + TVP) Le montant est déductible au prorata du nombre de kilomètres parcourus à des fins d'affaires sur le kilométrage total.	*Au fédéral* 100% des frais, au prorata du nombre de kilomètres parcourus à des fins d'affaires sur le kilométrage total *Au provincial* 100% des frais, au prorata du nombre de kilomètres parcourus à des fins d'affaires, jusqu'à concurrence de 6 400$
Déductibles au prorata du nombre de kilomètres parcourus à des fins d'affaires sur le kilométrage total.	Déductibles au prorata du nombre de kilomètres parcourus à des fins d'affaires sur le kilométrage total

* Le particulier inscrit aux fins de la TPS peut réclamer le remboursement de la TPS appelé crédit de taxes sur les intrants (CTI). Le CTI maximum est de 7% de 24 000$ si le particulier utilise l'automobile exclusivement à des fins d'affaires (90% et plus). S'il utilise l'automobile entre 10% et 90% à des fins d'affaires, le CTI équivaut à $7/107$ de la déduction demandée pour amortissement. Dans les autres cas, il n'a droit à aucun remboursement. Au Québec, aucun remboursement de taxes sur les intrants (RTI) n'est accordé sur les véhicules routiers acquis avant le 1er août 1995. Par contre, pour les véhicules routiers acquis après le 31 juillet 1995, le particulier inscrit aux fins de la TVQ peut réclamer un RTI. Le RTI maximum est de 6,5% de 24 000$ si le particulier utilise l'automobile exclusivement à des fins d'affaires (90% et plus). S'il utilise l'automobile entre 10% et 90% à des fins d'affaires, le CTI équivaut à 0,0610 de la déduction demandée pour amortissement. Dans les autres cas, il n'a droit à aucun remboursement. Peu importe la date d'acquisition du véhicule, un RTI peut être demandé pour certaines dépenses, par exemple les dépenses d'entretien et de réparation et les frais de stationnement.

** Pour les contrats conclus avant 1991, la taxe de vente provinciale est ajoutée au prix suggéré par le fabricant.

À noter. Le contrat de location prolongé ou renouvelé est considéré comme un nouveau contrat de location.

Les frais de formation

Il est possible que vous ayez engagé des frais d'inscription, de déplacement et de séjour dans le cadre d'un programme de formation. Un tel programme a généralement pour but de conserver, de mettre à jour ou d'améliorer une compétence déjà acquise. Les frais sont déductibles s'ils étaient raisonnables et si les cours :

- ne conduisaient à aucun diplôme spécifique ou titre professionnel ;
- avaient pour but de vous informer des plus récentes méthodes dans votre domaine d'activité ;
- avaient une durée vous permettant de continuer à exercer vos fonctions ;
- se donnaient dans un lieu correspondant au territoire géographique d'exercice de votre travail. Dans le cas contraire, les dépenses sont tout de même allouées si aucun cours similaire n'était disponible dans un endroit rapproché, si ces cours n'étaient pas un prétexte pour prendre des vacances et s'ils n'étaient pas offerts dans un centre de villégiature reconnu[10].

Les autorités fiscales provinciales précisent de plus que les dépenses reliées à un cours de formation suivi ailleurs qu'en Amérique du Nord sont déraisonnables et, par le fait même, refusées. La position du ministère du Revenu fédéral est la même dans le cas où les frais sont plus élevés qu'ils ne l'auraient été si cette formation avait été offerte en Amérique du Nord.

Attention ! Les frais engagés pour des cours menant à un diplôme spécifique ou à un titre professionnel ne peuvent pas être déduits de votre revenu de travailleur autonome. Ils peuvent cependant donner droit à une déduction et à des crédits relatifs aux frais de scolarité qui sont toutefois moins avantageux pour vous. (*Voir le chapitre « Les étudiants »*.)

Les frais de publicité

Vous pouvez déduire vos dépenses de publicité dans des médias au Canada (journaux, périodiques, radio, télévision)[11].

Les frais de représentation

Selon les ministères du Revenu fédéral et provincial, les frais de représentation que vous avez engagés le sont non seulement à des fins d'affaires mais également à des fins personnelles. La déduction est limitée à 50 % des sommes (incluant les taxes et les pourboires) payées pour des repas, des boissons et des divertissements comme des billets de théâtre, de concert ou de rencontre sportive, des croisières, des excursions de chasse ou de pêche, etc.[5] Par exemple, chaque fois que vous avez dépensé 100 $ pour un dîner avec un client, seule la somme de 50 $ est déductible dans le calcul de votre revenu. L'autre somme de 50 $ est considérée comme « une dépense personnelle » que vous auriez engagée de toute façon.

Au provincial, pour un exercice financier débutant après le 9 mai 1996, le montant des frais de représentation qui peut être déduit de vos revenus est plafonnée à 1 % de votre chiffre d'affaires pour l'année.

Il peut arriver que des frais de repas, de boissons ou de divertissements aient été inclus dans des frais de participation à une conférence ou à un congrès et n'aient pas été désignés de façon particulière. Dans un tel cas, la somme payée pour les frais de représentation est estimée à 50 $ par jour pendant la durée de l'événement[6].

Exceptionnellement, la limite de 50 % n'est pas applicable dans les cas suivants :

- votre entreprise consiste à fournir des repas, des boissons ou des divertissements à des clients (restaurant, hôtel, motel) ;
- les dépenses ont été engagées dans le cadre d'une levée de fonds organisée principalement au profit d'un organisme de charité enregistré ;
- le montant payé a été facturé à un client (la limite de 50 % s'applique alors au client) ; ou
- le montant a été engagé pour offrir des aliments, des boissons ou des divertissements à tous vos employés à un endroit donné[7].

De plus, au provincial, pour un exercice financier débutant après le 9 mai 1996, la limite de 50 % et le plafond annuel de 1 % de votre chiffre d'affaires ne sont pas applicables au coût d'un abonnement à des concerts d'un orchestre symphonique ou d'un ensemble de musique classique ou de jazz, à des représentations d'un opéra, à des spectacles de danse et à des pièces de théâtre, à la condition que ces événements aient lieu au Québec. Un abonnement doit comprendre au moins quatre représentations, dont trois dans des disciplines admissibles.

Attention! Vous n'avez droit à aucune déduction pour vos frais d'utilisation ou d'entretien d'un bateau de plaisance, d'un chalet, d'un pavillon ou d'un terrain de golf. La règle est la même si ces biens ont été utilisés par vos employés ou vos clients[8]. Il faut donc s'abstenir d'investir dans de tels biens en croyant partager la note avec le fisc!

Il est impossible de contourner la situation en devenant membre d'un club sportif. Toute somme d'argent payée pour adhérer à un club dont l'objet principal est de fournir à ses membres l'occasion de se restaurer ou de se livrer à des activités récréatives ou sportives n'est pas déductible du revenu.

Le travailleur autonome et les régimes sociaux

Le travailleur autonome paie des contributions au Régime des rentes du Québec correspondant au double de la somme versée par un employé gagnant un revenu équivalent. Il ne contribue pas à l'assurance-emploi. Toutefois, lorsqu'il est employeur, il doit prélever à la source sur les salaires de ses employés les contributions requises par les différents régimes sociaux.

Important. Au provincial, le revenu net d'entreprise ou de profession constitue un revenu visé par la contribution au Fonds des services de santé. Le travailleur autonome qui effectue cette contribution bénéficie d'un crédit d'impôt non remboursable équivalant à 20 % de la somme versée. (*Voir le chapitre «Tous les contribuables».*)

Les congrès

Vous pouvez déduire les frais payés pour assister à un maximum de deux congrès par année[12]. Ces congrès devaient être tenus par des organismes commerciaux ou professionnels. Il n'est pas nécessaire d'avoir été membre de l'organisme. Votre présence devait cependant être reliée à l'exercice de votre travail.

Les congrès doivent avoir eu lieu dans la province, la municipalité ou la région du Canada dans laquelle l'organisme œuvrait. Un travailleur autonome qui aurait assisté au congrès d'un organisme canadien lors d'une croisière dans les Antilles se verrait refuser le droit de déduire ses dépenses de congrès.

À noter. Une exception est prévue dans la convention fiscale signée entre le Canada et les États-Unis. Si le congrès était tenu aux États-Unis par un organisme professionnel ou commercial canadien à caractère national, les frais sont déductibles au fédéral dans la même mesure où ils le seraient si le congrès avait été tenu au Canada. Au provincial, ces frais ne sont ordinairement pas déductibles.

Si vous avez payé une somme raisonnable pour assister à une conférence organisée dans un autre pays, tenue sous les auspices d'un organisme professionnel ou commercial de cet autre pays, la déduction est allouée si la conférence avait un rapport avec l'exercice de vos fonctions.

Si votre présence à un congrès coïncidait avec vos vacances, une répartition raisonnable doit être faite entre les dépenses engagées pour ce congrès et vos frais de vacances. Seules les dépenses attribuables à votre présence au congrès sont déductibles, par exemple le transport, les frais d'hébergement et de repas pour vous rendre de votre place d'affaires au congrès et en revenir par la voie la plus directe, ainsi que les frais d'hébergement pendant que vous assistiez au congrès.

À noter. Les dépenses engagées pour le conjoint et les enfants qui vous accompagnaient à un congrès ou lors d'un voyage combinant congrès et vacances sont généralement considérées comme des dépenses personnelles et ne sont donc pas déductibles.

Les frais judiciaires et de comptabilité

Vous avez le droit de déduire les frais judiciaires et de comptabilité engagés pour gagner un revenu[13]. Par exemple, les frais engagés pour poursuivre un client qui ne vous a pas payé sont déductibles, puisqu'ils visent à récupérer un revenu gagné. Par contre, les frais engagés pour l'achat d'un immeuble, par exemple les honoraires d'un notaire ou d'un comptable, ne sont pas déductibles, puisqu'ils n'ont pas servi à gagner un revenu. Ils sont ajoutés au coût de l'immeuble. Les frais judiciaires et de comptabilité peuvent avoir été engagés relativement à quelque opération ou contrat courant, accessoire ou nécessaire à l'exercice de votre profession ou de votre métier, comme les frais de vérification annuels et les contestations d'un compte de taxes foncières.

Les frais judiciaires engagés si vous avez été accusé d'avoir commis des actes illégaux dans l'exercice de votre profession ou entreprise, comme une infraction aux pratiques de commerce, sont admis par le fisc. Par contre, de tels frais ne sont généralement pas déductibles dans le cas d'un acte criminel ou pénal, c'est-à-dire d'un acte pour lequel la loi prévoit une peine, par exemple pour une fraude fiscale. En effet, ces frais ne servent pas à gagner un revenu.

Les honoraires engagés pour obtenir des conseils et de l'aide pour la production des déclarations de revenus sont aussi déductibles en entier.

Les frais payés d'avance

Les frais payés d'avance ne sont déductibles que pour l'exercice financier où vous profitez des biens ou des services qu'ils ont servi à acquérir[14]. Par exemple si votre exercice financier prend fin le 31 décembre 1996 et qu'en septembre vous avez payé 10 000 $ de loyer pour les mois de septembre à décembre 1996 et pour le mois de janvier 1997, vous ne pouvez déduire que la somme de 8 000 $. Le solde de 2 000 $ représentant le coût du loyer pour janvier 1997 est déductible en 1997.

Les réserves

Vous pouvez déduire certaines réserves de votre revenu pour les sommes gagnées et non perçues que vous êtes tenu de déclarer[15]. C'est le cas par exemple si vous vendez à crédit ou si vos clients ne vous ont pas payé de façon diligente. Vous pouvez également déduire une réserve pour des revenus perçus avant que vous ne les ayez gagnés. Ces réserves sont ajoutées au revenu de l'année suivante mais une nouvelle réserve peut alors être déduite[16].

■ Les créances à long terme

Vous pouvez déduire une somme raisonnable à titre de réserve pour la vente de marchandises dont le paiement est échelonné sur une période excédant deux ans[17]. En général, une somme raisonnable correspond à la marge de profit sur ces ventes.

À noter. La réserve ne peut être demandée plus de trois ans après la vente. Par ailleurs, il n'est pas nécessaire que la créance excède deux ans dans le cas de la vente de terrains.

▼ *Exemple*

Votre marge de profit est de 20 %. À la fin de votre exercice financier, le solde des comptes à recevoir d'une durée initiale de deux ans est de 20 000 $. Vous pouvez réclamer une réserve de 4 000 $. Cette somme sera ajoutée à votre revenu de l'année suivante.

■ **Les créances douteuses et les mauvaises créances**

Vous pouvez déduire une somme raisonnable pour les créances douteuses et les mauvaises créances[18]. L'expérience passée de l'entreprise, le genre de clientèle, la période de perception normale, la situation financière du débiteur et d'autres critères semblables peuvent permettre de juger du caractère raisonnable de la déduction réclamée.

La réserve déduite pour les créances douteuses est ajoutée à votre revenu de l'année suivante. Les mauvaises créances sont radiées. Une créance radiée et recouvrée par la suite est incluse dans votre revenu de l'année du recouvrement.

■ **Les revenus perçus d'avance**

Vous pouvez déduire une somme raisonnable à titre de réserve pour les revenus perçus avant que vous n'ayez effectivement rendu les services ou livré les marchandises s'y rapportant[19]. En général, la réserve est raisonnable si elle a pour effet d'annuler le revenu perçu d'avance.

Les pertes

Vos pertes sont déductibles de tous vos autres revenus. Si elles excèdent vos revenus, elles peuvent être reportées aux trois années précédentes et aux sept années suivantes.

À noter. Vous devez remplir et annexer à votre déclaration de revenus les formulaires T1A au fédéral et TP-1012.A au provincial pour demander l'application rétroactive ou prospective d'une perte.

À *retenir!*

▪ En tant que travailleur autonome, vous pouvez déduire certaines dépenses engagées dans le but de gagner vos revenus. Par exemple, les frais de bureau à domicile peuvent être déduits sous certaines conditions.

▪ Vous pouvez également déduire l'amortissement relié à l'acquisition d'équipement et de mobilier nécessaires à votre travail.

▪ La déduction des frais de déplacement dépend de votre taux d'utilisation de l'automobile pour fins d'affaires.

▪ Aucune déduction n'est permise pour vos frais d'utilisation ou d'entretien d'un bateau de plaisance, d'un chalet, d'un pavillon ou d'un terrain de golf, même si ces biens sont utilisés par vos employés ou vos clients.

■ RÉFÉRENCES

1. De façon générale, le présent chapitre ne tient pas compte des règles complexes reliées aux CTI et aux RTI, c'est-à-dire aux remboursements de la taxe sur les produits et services (TPS) et de la taxe de vente du Québec (TVQ) auxquels les travailleurs autonomes inscrits pourraient avoir droit. Dans un tel cas, les montants de remboursements doivent être pris en considération.

2. Bulletin d'interprétation du gouvernement fédéral IT-514

3. *Loi de l'impôt sur le revenu* (L.I.R.), S.C. 1970-1971-1972, c. 63, telle que modifiée, art. 18 (12) a); *Loi sur les impôts* (L.I.), L.R.Q., c.I-3 art. 175.4

4. L.I.R., précitée, art. 18 (12) b) et (c); L.I., précitée, art. 175.5 et 175.6

5. L.I.R., précitée, art. 67.1; Bulletin d'interprétation du gouvernement fédéral IT-518; L.I., précitée, art. 421.1

6. L.I.R., précitée, art. 67.1 (3); L.I., précitée, art. 421.3

7. L.I.R., précitée, art. 67.1 (2); L.I., précitée, art. 421.2

8. L.I.R., précitée, art. 18 (1) l); L.I., précitée, art. 134

9. Bulletin d'interprétation du gouvernement fédéral IT-233R

10. Bulletin d'interprétation du gouvernement fédéral IT-357R2

11. L.I.R., précitée, art. 19; L.I., précitée, art. 159

12. L.I.R., précitée, art. 20 (10); L.I., précitée, art. 157 c)

13. Bulletin d'interprétation du gouvernement fédéral IT-99R4

14. L.I.R., précitée, art. 18 (9); L.I., précitée, art. 175.1; Bulletin d'interprétation du gouvernement fédéral IT-417R

15. Bulletin d'interprétation du gouvernement fédéral IT-154R

16. L.I.R., précitée, art. 12 (1) e); L.I., précitée, art, 87 e)

17. L.I.R., précitée, art. 20 (1) n), 20 (8); L.I., précitée, art. 153; Bulletin d'interprétation du gouvernement fédéral, IT- 436R

18. L.I.R., précitée, art. 20 (1) l), p), 12 (1) d); L.I., précitée, art. 140, 141, 87 (d) i); Bulletin d'interprétation du gouvernement fédéral IT-442R

19. L.I.R., précitée, art. 20 (1) m); L.I., précitée, art. 150

CHAPITRE 6

La famille

Le fisc ne s'intéresse pas seulement à votre vie professionnelle. Les événements de votre vie familiale ont aussi une influence sur la facture à payer. Mieux vaut mettre toutes les chances de votre côté afin de réduire vos impôts et en faire profiter les membres de votre famille!

Les crédits et les déductions mentionnés dans ce chapitre se retrouvent au tableau «Les crédits et déductions d'impôt pour 1996», aux pages 138 à 149. Ce tableau énumère les conditions d'application, les sommes auxquelles vous avez droit et les documents à produire pour chacune des situations décrites.

Le mariage

Vous pouvez profiter de cet événement heureux pour réduire vos impôts en réclamant un crédit d'impôt pour conjoint, au fédéral et au provincial. Ce crédit est disponible l'année du mariage et chaque année que dure le mariage si vous avez subvenu aux besoins de votre conjoint.

Lors du calcul du crédit, vous devez tenir compte du revenu de votre conjoint.

À noter. Les conjoints de fait bénéficient de ce crédit s'ils répondent aux conditions suivantes :

▮ ils vivent en union conjugale depuis 12 mois ; ou

▮ ils sont les parents naturels ou adoptifs d'un enfant[1].

▼ *Exemple*

Daniel et Pauline se marient le 30 juin 1996. Daniel subvient aux besoins de Pauline jusqu'à la fin de l'année. Pauline a travaillé en janvier et en février 1996. Son revenu, aux fins du calcul du crédit pour conjoint, est de 3 000$. Daniel peut réclamer les montants suivants :

Au fédéral

915$ - (17 % X 2 462$*) = 496,46$
* revenu net de Pauline excédant 538$

Au provincial

1 180$ - (20 % X 3 000$*) = 580,00$
* revenu de Pauline

Daniel doit en effet tenir compte du revenu gagné par Pauline en 1996 avant le mariage.

Conseil. Si le montant que vous pouvez demander est réduit en raison de dividendes reçus par votre conjoint à la suite de placements, il peut être plus avantageux de déclarer vous-même ces dividendes.

À noter. Vous pouvez demander des crédits et des déductions pour les enfants de votre conjoint si vous avez subvenu à leurs besoins. Si vous et votre conjoint aviez chacun un enfant avant le mariage ou la vie commune (selon les conditions exigées), le gouvernement fédéral devrait vous permettre, ainsi qu'à votre conjoint, de demander le crédit d'impôt d'équivalent de conjoint pour vos enfants. L'économie d'impôt est plus grande que si vous demandez le crédit pour conjoint. Ce dernier crédit est en effet réduit du revenu de votre conjoint et vous seul pouvez le demander.

La naissance ou l'adoption d'un enfant

Au fédéral, la naissance ou l'adoption d'un enfant vous donne droit aux prestations fiscales pour enfants. Au provincial, vous avez droit aux allocations d'aide aux familles, soit les allocations à la naissance, les allocations pour enfants handicapés, les allocations pour jeunes enfants et les allocations familiales mensuelles. Vous pouvez aussi bénéficier du crédit d'impôt pour enfant à charge.

À noter. Un enfant est réputé être à la charge d'un contribuable l'année de sa naissance, même si sa vie est de courte durée. Aucun crédit n'est accordé pour un enfant mort-né[2].

La naissance ou l'adoption d'un enfant en fin d'année, par exemple le 30 décembre 1996, permet à ses parents de bénéficier des crédits pour toute l'année 1996.

Le crédit d'impôt remboursable au titre des frais d'adoption

Au provincial, vous pouvez bénéficier d'un crédit d'impôt remboursable au titre des frais d'adoption si vous résidez au Québec à la fin de l'année au cours de laquelle un jugement définitif d'adoption établissant un lieu de filiation entre une personne mineure et vous-même est rendu par un tribunal de juridiction québécoise ou, dans le cas où il s'agit de l'adoption d'un enfant domicilié en République populaire de Chine, à la fin de l'année au cours de laquelle il fait l'objet d'une inscription à la Cour du Québec.

Ce crédit d'impôt remboursable est égal à 20 % des frais d'adoption admissibles que vous ou votre conjoint avez engagé et payé. Le crédit ne peut excéder 2 000 $ par enfant, ce qui représente 10 000 $ de frais d'adoption admissibles.

Les frais d'adoption admissibles sont ceux qui sont payés après l'ouverture du dossier d'adoption auprès soit d'un organisme agréé par le ministère de la Santé et des Services sociaux, soit du Secrétariat à l'adoption internationale. Ils comprennent notamment :

- les frais de cour et les honoraires juridiques en vue d'obtenir le jugement définitif d'adoption au Québec et, le cas échéant, dans le pays étranger ;

- les frais de traduction de dossier ;

- vos frais de voyage et de séjour si vous avez eu à vous rendre dans le pays étranger pour ramener l'enfant ;

■ les frais de voyage de l'escorte ainsi que ceux de l'enfant si vous n'avez pas eu à vous rendre dans le pays étranger pour ramener l'enfant ;

■ les frais exigés par des organismes agréés par le ministère de la Santé et des Services sociaux ; et

■ les remboursements des frais exigés par l'institution étrangère qui a pris soin de l'enfant adopté.

■ Les prestations fiscales pour enfants (fédéral)

Depuis 1993, les allocations familiales mensuelles, le crédit d'impôt pour enfants à charge et le crédit d'impôt remboursable pour enfants ont été remplacés par les prestations fiscales pour enfants.

Les prestations fiscales sont versées mensuellement, généralement à la mère, pour tout enfant de moins de 18 ans. Elles ne sont imposables ni au fédéral ni au provincial.

Le montant des prestations est calculé de la façon suivante :

■ 869 $ pour le premier enfant, 1 000 $ pour le deuxième enfant, 1 597 $ pour le troisième enfant et les suivants ;

■ plus 75 $ à partir du troisième enfant ;

■ plus 213 $ pour chaque enfant de moins de sept ans, moins 25 % des frais de garde déduits pour ces enfants ;

■ plus 103 $ pour chaque enfant âgé de 12 à 17 ans ;

■ plus un supplément du revenu gagné. Ce supplément équivaut à 8 % du revenu gagné du particulier et de son conjoint excédant 3 750 $, jusqu'à concurrence de 500 $. Il est réduit de 10 % du revenu du particulier et de son conjoint excédant 20 921 $;

■ moins 5 % (ou 2,5 % lorsqu'il n'y a qu'un seul enfant) du revenu du particulier et de son conjoint excédant 25 921 $.

À noter. Le revenu gagné est le même que celui qui permet de réclamer la déduction pour frais de garde d'enfants. Il s'agit du revenu d'emploi ou d'entreprise, des allocations versées en vertu de la *Loi nationale sur la formation*, des bourses d'études et des subventions de recherches. Le montant des prestations des six premiers mois de l'année 1997 est établi selon les revenus de l'année 1995 et celui des six derniers mois selon les revenus de l'année 1996.

Remarque. À compter du 1er juillet 1997, le supplément du revenu gagné équivaudra à 12 % du revenu gagné du particulier et de son conjoint excédant 3 750 $, jusqu'à concurrence de 750 $. Il sera réduit de 15 % du revenu du particulier et de son conjoint excédant 20 921 $. À compter du 1er juillet 1998, il représentera 16 % du revenu gagné du particulier et de son conjoint excédant 3 750 $, jusqu'à concurrence de 1 000 $. Il sera réduit de 20 % du revenu du particulier et de son conjoint excédant 20 921 $.

Les allocations provinciales d'aide aux familles ne sont imposables ni au fédéral ni au provincial.

■ Le crédit d'impôt pour enfants à charge (provincial)

Vous pouvez demander ce crédit si vous subveniez aux besoins de votre enfant.

■ Le crédit d'impôt d'équivalent de conjoint (fédéral)

Si vous étiez célibataire, séparé, divorcé, veuf ou que vous viviez en union de fait (sans être considéré comme conjoint) à un moment de l'année 1996, vous pouvez demander le crédit d'impôt d'équivalent de conjoint pour un enfant dont vous aviez la garde[3].

À noter. Si la garde était partagée, que chacun des parents était célibataire, séparé, divorcé, ou vivait en union de fait sans être considéré comme conjoint à un moment de l'année 1996 et que deux enfants ou plus sont en cause, les parents peuvent partager le crédit d'impôt d'équivalent de conjoint en le demandant chacun pour un enfant. L'entente quant au partage du crédit résulte simplement de l'indication des montants appropriés aux déclarations de revenus. Le crédit n'est pas accordé s'il n'y a pas d'entente quant au partage[4]. Si la garde d'un seul enfant était partagée, le crédit d'impôt d'équivalent de conjoint ne peut pas être partagé.

■ La réduction d'impôt à l'égard de la famille (provincial)

Un crédit est prévu pour réduire ou éliminer l'impôt à payer pour les familles à faible revenu[5]. Il est déduit dans le calcul de votre impôt à payer.

■ Les frais de garde d'un enfant (déduction au fédéral, crédit remboursable au provincial)

Au fédéral, en général, seul le parent dont le revenu était le moins élevé peut réclamer la déduction pour frais de garde d'enfants[6]. Au provincial, le conjoint ayant le revenu le plus élevé peut demander le crédit remboursable pour frais de garde d'enfants si son conjoint y renonce en sa faveur et dans la forme prescrite[7].

Tant au fédéral qu'au provincial, le conjoint ayant le revenu le plus élevé peut avoir droit à ces allégements pour les frais de garde engagés si son conjoint :

■ était étudiant à temps plein dans une université, un cégep ou un établissement d'enseignement secondaire ;

■ était atteint d'incapacité physique ou mentale pendant une période d'au moins deux semaines et était incapable de s'occuper des enfants, tel qu'il a été confirmé par un médecin ;

■ a fait un séjour d'au moins deux semaines dans un établissement pénitentiaire ; ou

■ ne vivait plus avec lui à la fin de l'année et pendant une période d'au moins 90 jours commençant dans l'année, à la suite d'une rupture du mariage ou de la vie commune.

À noter. Dans ces circonstances, le calcul de la déduction fédérale et du crédit provincial tient compte du nombre de semaines où le conjoint ayant le revenu le plus élevé a eu la garde des enfants.

▼ *Exemple*

Charles et Marie ont deux enfants, Valérie et Sophie. Valérie est âgée de 4 ans et Sophie est âgée de 10 ans. Charles a gagné 25 000 $ en 1996 et Marie a gagné 30 000 $. Charles et Marie ont payé 4 000 $ de frais de garderie.

Au fédéral

Charles peut déduire le moins élevé des sommes suivantes :

■ 4 000 $, soit la totalité des frais payés ;

■ 16 666 $, soit les 2/3 du revenu le moins élevé ; ou

■ 8 000 $, soit 5 000 $ pour Valérie, âgée de moins de 7 ans et 3 000 $ pour Sophie, âgée de moins de 16 ans.

Charles peut donc déduire la totalité des frais payés, soit 4 000 $.

Au provincial

Charles doit calculer son crédit remboursable sur le moins élevé des sommes suivantes :

- 4 000 $, soit la totalité des frais payés ;

- 25 000 $, soit 100 % du revenu le moins élevé ; ou

- 8 000 $, soit 5 000 $ pour Valérie, âgée de moins de 7 ans, et 3 000 $ pour Sophie, âgée de moins de 16 ans.

Charles a donc droit à un crédit remboursable calculé sur 4 000 $ au taux correspondant à son revenu familial net. En effet, le crédit remboursable pour frais de garde d'enfants est établi selon une structure de taux progressive basée sur le revenu familial net. (*Voir tableau « Les crédits et déductions d'impôt pour 1996 », aux pages 138 à 149.*) Le revenu familial net comprend, entre autres, les revenus de travail des conjoints, leurs revenus de biens et leurs revenus de transferts telles les prestations de la sécurité du revenu, de la Commission de la santé et de la sécurité du travail (CSST) et de la Société d'assurance automobile du Québec (SAAQ) ; de ces revenus, sont soustraits notamment les montants pour besoins essentiels reconnus, les cotisations au régime de rentes du Québec, les primes d'assurance-emploi et la contribution au fonds des services de santé.

À noter. Si vous avez gagné le même revenu que votre conjoint, vous pouvez vous entendre pour désigner dans votre déclaration fédérale celui d'entre vous qui a droit à la déduction. À défaut d'entente, la déduction n'est pas accordée[8]. L'entente résulte simplement de la production des déclarations de revenus.

Le divorce ou la séparation

Plusieurs règles sont modifiées en cas de divorce, de séparation de corps et de rupture de la vie commune avec votre conjoint.

■ Le crédit d'impôt pour conjoint (fédéral et provincial)

Vous avez droit à ce crédit si vous avez subvenu aux besoins de votre conjoint en 1996.

Au fédéral, vous pouvez réclamer ce crédit si vous ne déduisez pas la pension alimentaire versée. Le revenu de votre conjoint, pour le calcul du crédit d'impôt pour conjoint, comprend le revenu gagné pendant l'année 1996 avant la séparation[9]. Si vous avez repris la vie commune pendant l'année 1996, il faut tenir compte du revenu de votre conjoint pour toute l'année.

Au provincial, vous pouvez à la fois déduire la pension alimentaire et réclamer le crédit d'impôt pour conjoint pour l'année de la séparation. Le crédit est réduit du revenu net de votre conjoint pour la période de l'année 1996 précédant la date de la séparation.

■ Le crédit d'impôt pour personne vivant seule ou uniquement avec un ou des enfants à charge (provincial)

Vous avez droit à ce crédit, seulement si vous avez habité une maison, un appartement ou tout autre logement de ce genre pendant toute l'année 1996. Le crédit maximum et de 210 $ (1 050 $ x 20 %). En effet, le montant servant au calcul de votre crédit est réduit en fonction de votre revenu net pour l'année d'imposition. La réduction est égale au moindre de 525 $ ou 7,5 % de l'excédant de votre revenu net sur 26 000 $. Ainsi, si votre revenu net a été de 33 000 $ ou plus en 1996, votre crédit est de 105 $ (1 050 $ - ((33 000 $ - 26 000 $) x 7,5 %)) x 20 %. Pour les années d'imposition 1997 et suivantes, la réduction sera égale au moindre de 1 050 $ ou 15 % de l'excédant de votre revenu net sur 26 000 $.

À noter. Vous devez joindre à votre déclaration de revenus une copie du relevé des taxes foncières de votre logement, si vous en êtes propriétaire, le Relevé 4 émis par votre locateur, si vous êtes locataire, ou encore une attestation de maintien d'un établissement domestique autonome.

Attention ! Le crédit ne s'applique pas à un conjoint de fait, même s'il ne rencontre pas les conditions pour être considéré comme conjoint, puisqu'il n'a pas vécu seul pendant toute l'année 1996.

■ Le crédit d'impôt d'équivalent de conjoint (fédéral)

Il peut être avantageux d'utiliser ce crédit à l'égard d'un enfant dont vous aviez la garde.

À noter. Si la garde de deux enfants ou plus était partagée, vous pouvez partager le crédit d'impôt d'équivalent de conjoint avec votre ex-conjoint, en le demandant chacun pour un enfant. L'entente quant au partage du crédit résulte simplement de l'indication des montants appropriés aux déclarations de revenus. Si la garde d'un seul enfant était partagée, les parents peuvent s'entendre pour que l'un d'entre eux réclame ce crédit. Le crédit n'est pas accordé s'il n'y a pas d'entente entre les parents[10].

■ Le crédit d'impôt pour enfants à charge (provincial)

Au provincial, vous pouvez réclamer ce crédit si vous avez subvenu aux besoins de l'enfant. Vous avez droit à un montant supplémentaire pour famille monoparentale si vous n'avez pas vécu avec votre conjoint durant toute l'année 1996.

À noter. Si la garde des enfants était partagée, les parents peuvent répartir le crédit à leur guise.

■ Le crédit d'impôt pour autres personnes à charge (provincial)

Vous pouvez réclamer ce crédit si l'un de vos enfants était âgé de plus de 18 ans, si vous avez subvenu à ses besoins et si vous avez habité avec lui. Un montant supplémentaire est accordé si cet enfant était atteint d'une infirmité physique ou mentale. Dans ce cas, l'enfant pouvait avoir été placé dans une famille d'accueil ou un établissement de santé.

À noter. Si la garde des enfants était partagée, les parents peuvent répartir le crédit à leur guise.

■ Le crédit d'impôt pour personnes à charge (fédéral)

Vous pouvez réclamer ce crédit si vous avez subvenu aux besoins de l'un de vos enfants âgé de plus de 18 ans et atteint d'une infirmité physique ou mentale.

■ La déduction (fédéral) ou le crédit (provincial) pour frais de garde d'enfants

Au fédéral, la déduction est généralement accordée au parent dont le revenu était le moins élevé. Vous pouvez cependant avoir droit à la déduction, même si votre revenu était plus élevé que celui de votre conjoint. Vous devez vous être séparé en 1996 et ne pas avoir repris la vie commune dans les 90 jours qui ont suivi la séparation. Par exemple, si vous vous êtes séparé le 15 juin 1996, vous ne devez pas avoir repris la vie commune avant le 13 septembre 1996. De plus, le calcul de la déduction ou du crédit est alors modifié.

▼ *Exemple*

Julie et Raymond se sont séparés en 1996. Julie a eu la garde des deux enfants pendant 50 semaines. Pascale est âgée de 3 ans et François est âgé de 12 ans. Julie a payé 5 000 $ en frais de garde pour l'année 1996 et a gagné des revenus de 30 000 $.

Au fédéral

Julie peut déduire la moins élevée des sommes suivantes

- 5 000 $, soit la totalité des frais payés ;
- 20 000 $, soit les 2/3 de son revenu ;
- 8 000 $, soit 5 000 $ pour Pascale, âgée de moins de 7 ans et 3 000 $ pour François, âgé de moins de 16 ans ; ou
- 12 000 $, soit (150 $ pour Pascale + 90 $ pour François) X 50 semaines.

Julie peut donc déduire la totalité des frais de garde payés, soit la somme de 5 000 $.

Au provincial

Julie doit calculer son crédit remboursable sur la moins élevée des sommes suivantes :

- 5 000 $, soit la totalité des frais payés ;
- 30 000 $, soit 100 % de son revenu ;
- 8 000 $, soit 5 000 $ pour Pascale, âgée de moins de 7 ans et 3 000 $ pour François, âgé de moins de 16 ans ; ou
- 12 000 $, soit (150 $ pour Pascale + 90 $ pour François) X 50 semaines.

Julie doit donc calculer son crédit remboursable sur 5 000 $.

À noter. En cas de garde partagée, chacun des parents peut déduire ses propres frais de garde.

■ La déduction pour pension alimentaire (fédéral et provincial)

Si vous avez payé une pension alimentaire en 1996, vous pouvez bénéficier de la déduction pour pension alimentaire. En effet, tant au fédéral qu'au provincial, la pension alimentaire peut être déductible en entier pour celui qui la paie et imposable pour celui qui la reçoit lorsqu'elle est versée au conjoint. La pension alimentaire payée directement à un enfant majeur n'est pas déductible.

Attention ! Si vous avez repris la vie commune pendant l'année 1996, même pour une courte période, vous ne pouvez déduire aucun versement de pension alimentaire effectué en 1996.

Il peut arriver qu'un jugement ou un accord écrit vous oblige à verser des sommes d'argent à d'autres personnes que votre ex-conjoint pour subvenir à ses besoins ou ceux des enfants. De telles sommes peuvent, à certaines conditions, être déductibles. Il peut s'agit par exemple des dépenses suivantes :

■ les frais médicaux ;

■ l'hypothèque sur la résidence familiale, jusqu'à concurrence de 20% du montant initial de l'emprunt ;

■ l'entretien du logement de votre conjoint ;

■ les études ;

■ les taxes municipales, scolaires ou autres charges foncières ; et

■ le remboursement d'une dette pour l'achat ou la rénovation d'une résidence pour votre conjoint, jusqu'à concurrence de 20% du montant initial de l'emprunt.

Les dépenses suivantes ne sont jamais déductibles ;

■ l'achat des biens d'usage courant comme des meubles ou des vêtements ; et

■ les primes d'assurance-vie ou d'assurance feu-vol.

À noter. Les frais judiciaires engagés pour établir le droit à une pension alimentaire ne sont pas déductibles[11]. Par exemple, vous ne pouvez pas déduire les frais encourus pour obtenir un jugement de divorce ou de séparation. Par contre, les frais engagés pour assurer le paiement d'une pension sont déductibles.

Remarque. À compter du 1er mai 1997, la pension alimentaire pour un enfant versée conformément à un accord écrit ou à un jugement rendu après le 30 avril 1997 ne sera plus déductible pour celui qui la paie, ni imposable pour celui qui la reçoit. Les nouvelles règles ne s'appliqueront pas à une pension alimentaire versée conformément à un accord écrit ou à un jugement rendu avant le 1er mai 1997, sauf si celui qui la paie et celui qui la reçoit produisent conjointement, auprès des ministères du Revenu, un choix à cet effet, si l'accord ou l'ordonnance prévoyant le versement de la pension alimentaire est modifiée après le 30 avril 1997 pour réviser le montant de la pension alimentaire ou si l'accord prévoit que le payeur ne déduira pas de son revenu et le bénéficiaire n'inclura pas dans le sien la pension alimentaire à payer à compter d'une date déterminée qui ne peut être antérieure au 1er mai 1997.

Important. Ces nouvelles règles ne s'appliqueront pas à la pension alimentaire pour conjoint. Celle-ci demeurera à déduire du revenu du payeur et à inclure dans celui du bénéficiaire.

La pension alimentaire versée au conjoint

Au fédéral, vous pouvez choisir, pour l'année de la séparation, la plus avantageuse des déductions suivantes :

- la pension alimentaire versée ; ou
- le crédit d'impôt pour conjoint.

À noter. Vous ne pouvez pas déduire les deux sommes. Votre conjoint doit tout de même inclure dans son revenu les versements de pension alimentaire, peu importe votre choix. Le revenu de votre conjoint, pour le calcul du crédit d'impôt pour conjoint, comprend le revenu gagné pendant l'année 1996 avant la séparation[12]. Si vous avez repris la vie commune pendant l'année 1996, il faut tenir compte du revenu de votre conjoint pour toute l'année.

▼ Exemple

Josée a gagné 25 500 $ en 1996, incluant 500 $ alors qu'elle vivait avec son conjoint et 25 000 $ après la séparation. Daniel, son époux, ne tiendra compte que de 500 $ pour calculer son crédit d'impôt pour conjoint.

Au provincial, vous pouvez à la fois déduire la pension alimentaire et réclamer le crédit d'impôt pour conjoint pour l'année de la séparation. Le crédit d'impôt pour conjoint est réduit du revenu net de votre conjoint pour la période de l'année 1996 précédant la date de la séparation.

L'union de fait

Selon les lois fiscales, le terme «conjoint» désigne la personne avec qui vous étiez marié légalement. Il désigne également la personne avec qui vous viviez, sans être marié, depuis au moins 12 mois ou avec laquelle vous étiez parent d'un enfant, naturel ou adoptif.

Par conséquent, si vous n'êtes pas considéré comme conjoint au sens des lois fiscales, vous ne pouvez bénéficier du crédit d'impôt pour conjoint, même si vous viviez en 1996 avec un conjoint. Vous ne pouvez pas non plus bénéficier du crédit d'impôt provincial pour personne vivant seule, puisque ce n'était pas votre cas.

Par contre, vous pouvez bénéficier du crédit d'impôt d'équivalent de conjoint au fédéral pour un enfant à charge.

Enfin, vous ne pouvez pas bénéficier des crédits pour enfants à charge, personnes à charge et autres personnes à charge, pour les enfants de votre conjoint de fait, même si vous avez subvenu à leurs besoins.

L'hébergement d'un parent

Diverses réductions d'impôt vous sont offertes si vous avez hébergé l'un de vos parents en 1996.

■ Le crédit d'impôt d'équivalent de conjoint (fédéral)

Si vous étiez célibataire, séparé, divorcé, veuf ou que vous viviez en union de fait, sans être considéré comme un conjoint, vous pouvez demander le crédit d'équivalent de conjoint pour le père, la mère, le grand-père ou la grand-mère que vous avez hébergé en 1996 et aux besoins duquel vous subveniez.

Attention! Il est impossible de réclamer un crédit d'impôt d'équivalent de conjoint et un autre crédit pour personne à charge pour le même parent dans la déclaration de revenus fédérale. De même, il est impossible de réclamer le crédit d'impôt d'équivalent de conjoint pour plus d'une personne.

■ Le crédit d'impôt pour personnes à charge (fédéral)

Vous pouvez bénéficier du crédit d'impôt pour personnes à charge si vous subveniez aux besoins d'un de vos parents ou d'un parent de votre conjoint atteint d'une infirmité physique ou mentale.

■ Le crédit d'impôt pour autres personnes à charge (provincial)

Vous pouvez profiter du crédit d'impôt pour autres personnes à charge si vous avez subvenu aux besoins et hébergé un de vos parents ou un parent de votre conjoint en 1996.

■ Le crédit d'impôt pour l'hébergement des parents

Au provincial, vous pouvez profiter du crédit pour l'hébergement des parents si vous avez hébergé en 1996 un de vos parents ou un parent de votre conjoint âgé de 70 ans ou plus au 31 décembre 1996 ou de 60 ans ou plus s'il était gravement malade.

Ce crédit est remboursable et vous pouvez en bénéficier pour chaque parent que vous avez hébergé. De plus, vous n'avez pas à tenir compte du revenu de ce parent lors du calcul de ce crédit.

■ RÉFÉRENCES

1. *Loi de l'impôt sur le revenu* (L.I.R.), S.C. 1970-1971-1972, c. 63, telle que modifiée, art. 252(4). Depuis le 1er janvier 1993, le terme «conjoint» désigne également, à certaines conditions, le conjoint de fait.

2. Bulletin d'interprétation du gouvernement fédéral IT-513, par. 32

3. L.I.R., précitée, art. 118(1)b)

4. L.I.R., précitée, art. 118(4)b)

5. *Loi sur les impôts* (L.I.), L.R.Q., c. I-3, art. 776.29 à 776.41

6. L.I.R., précitée, art. 63(3)(a); Bulletin d'interprétation du gouvernement fédéral IT-513, par. 11

7. L.I., précitée, art. 356.0.1

8. L.I.R., précitée, art. 63(2.1); L.I., précitée, art. 356

9. L.I.R., précitée, art. 118(1)a); Bulletin d'interprétation du gouvernement fédéral IT-513, par. 11

10. L.I.R., précitée, art. 118(4)b)

11. L.I.R., précitée, art. 118(1)a); Bulletin d'interprétation du gouvernement fédéral IT-513, par. 11

12. Bulletin d'interprétation du gouvernement fédéral IT-99R4, par. 17

LES CRÉDITS ET DÉDUCTIONS	
Crédits et déductions	**Conditions d'application**
Crédit pour conjoint **(fédéral et provincial)**	*Au fédéral et au provincial*, le contribuable : • s'est marié en 1996 ; • était marié en 1996 ; • vivait en union conjugale depuis au moins 12 mois en 1996 ; ou • vivait en union conjugale depuis moins de 12 mois en 1996, mais était le parent naturel ou adoptif d'un enfant de son conjoint et, dans tous les cas, • subvenait aux besoins de son conjoint.
Crédit pour enfants à **charge** **(provincial)**	*L'enfant* : • avait moins de 18 ans ou a eu 18 ans en 1996 ; • avait plus de 18 ans mais était aux études à plein temps ; • habitait ordinairement avec le contribuable sauf s'il était placé dans une famille d'accueil ou un établissement de santé en raison d'une infirmité physique ou mentale. *Le contribuable* : • subvenait aux besoins de l'enfant. • ne versait pas de pension alimentaire pour l'enfant.
Montant supplémentaire **pour famille** **monoparentale** **(provincial)**	*Le contribuable, de plus* : • maintenait un établissement domestique autonome ; • n'était pas un conjoint ou était un conjoint mais ne subvenait pas aux besoins de son conjoint et n'était pas à sa charge ; • n'avait pas vécu avec un conjoint de fait pendant l'année.
Crédit pour personnes à **charge (fédéral)**	*La personne à charge* : • avait au moins 18 ans en 1996 ; • était unie au contribuable ou à son conjoint par les liens du sang, du mariage ou de l'adoption ; • n'était pas le conjoint du contribuable ; • était atteinte d'une infirmité physique ou mentale. *Le contribuable* : • habitait ordinairement avec la personne à charge ; • subvenait aux besoins de cette personne ; • ne versait pas de pension alimentaire pour cette personne.

D'IMPÔT POUR 1996		
Calcul au fédéral	**Calcul au provincial**	**Documents à produire**
• 915$ moins 17 % du revenu net du conjoint excédant 538$	• 1 180$ moins 20 % du revenu* du conjoint	s/o
s/o**	• 520$ pour le premier enfant • 480$ pour chacun des autres enfants • 330$ par trimestre pendant lequel l'enfant est aux études (maximum deux trimestres) Le crédit est réduit de : • 20 % du revenu* de l'enfant • 260$	*Au provincial* • Relevé 8 • Annexe A de la déclaration de revenus
• 400$ moins 17 % du revenu net de la personne à charge excédant 4 103$	s/o	• Annexe 6 de la déclaration de revenus

LES CRÉDITS ET DÉDUCTIONS	
Crédits et déductions	**Conditions d'application**
Déduction pour frais de garde d'enfants (fédéral seulement) **Crédit d'impôt remboursable pour frais de garde (provincial seulement)**	*Au fédéral et au provincial, les frais*: • étaient versés à un gardien ou à une gardienne d'enfants, à une garderie, à un pensionnat ou à une colonie de vacances ; • permettaient au parent d'exercer un emploi, d'exploiter une entreprise, d'entreprendre des cours de formation professionnelle subventionnés, de mener des recherches pour lesquelles il avait reçu une subvention ou de poursuivre des études à temps plein ; • n'étaient pas versés à un « autre soutien de l'enfant » ; • n'étaient pas versés à une personne pour laquelle le contribuable ou « l'autre soutien de l'enfant » demande tout crédit pour personnes à charge ; • n'étaient pas versés à une personne de moins de 21 ans unie au contribuable par les liens du sang, du mariage ou de l'adoption. L'« autre soutien » désigne : • l'autre parent de l'enfant ; • le conjoint du contribuable ; ou • une personne qui réclame pour l'enfant tout crédit pour personnes à charge. *Au fédéral et au provincial, l'enfant*: • avait moins de 16 ans au 1er janvier 1996 ; • avait 16 ans et plus mais était atteint d'une infirmité physique ou mentale.

D'IMPÔT POUR 1996		
Calcul au fédéral	**Calcul au provincial**	**Documents à produire**
Frais de garde déductibles Le moins élevé des montants suivants : • les frais de garde payés, • 2/3 des revenus du contribuable***, • 5 000$ par enfant de moins de 7 ans ou de 7 ans et plus atteint d'une déficience physique ou mentale grave et prolongée, plus 3 000$ pour chacun des autres enfants de moins de 16 ans au 1er janvier 1996 ou de 16 ans et plus atteint d'une infirmité physique ou mentale et, lorsque le conjoint au revenu le plus élevé peut réclamer la déduction, lorsque les deux conjoints poursuivent simultanément des études à temps plein ou lorsque le chef d'une famille monoparentale poursuit des études à temps plein : • 150$ par enfant de moins de 7 ans ou de 7 ans et plus atteint d'une déficience physique ou mentale grave et prolongée, et 90$ pour chacun des autres enfants de moins de 16 ans au 1er janvier 1996 ou de 16 ans et plus atteint d'une infirmité physique ou mentale multiplié par le nombre de semaines pendant lesquelles le contribuable avait la garde des enfants ou poursuivait des études à temps plein.	*Frais de garde admissibles au crédit d'impôt* Le moins élevé des montants suivants : • les frais de garde payés ; • 100% des revenus du contribuable*** ; • 5 000$ par enfant de moins de 7 ans ou de 7 ans et plus atteint d'une déficience physique ou mentale grave et prolongée, plus 3 000$ pour chacun des autres enfants de moins de 16 ans au 1er janvier 1996 ou de 16 ans et plus atteint d'une infirmité physique ou mentale et, lorsque le conjoint au revenu le plus élevé peut réclamer le crédit (excluant le cas de renonciation par le conjoint au revenu le moins élevé), lorsque les deux conjoints poursuivent simultanément des études à temps plein ou lorsque le chef d'une famille monoparentale poursuit des études à temps plein : • 150$ par enfant de moins de 7 ans ou de 7 ans et plus atteint d'une déficience physique ou mentale grave et prolongée, et 90$ pour chacun des autres enfants de moins de 16 ans au 1er janvier 1996 ou de 16 ans et plus atteint d'une infirmité physique ou mentale multiplié par le nombre de semaines pendant lesquelles le contribuable avait la garde des enfants ou poursuivait des études à temps plein.	Les frais réclamés doivent être justifiés par des reçus. Ces reçus sont produits par la personne qui garde les enfants, par le pensionnat, par la colonie de vacances ou par la garderie ayant reçu le paiement. S'il s'agit d'un particulier, les reçus doivent porter son numéro d'assurance sociale, son adresse et sa signature. Le lien de parenté avec le parent qui réclame la déduction doit être indiqué, s'il y a lieu. *Au fédéral* • formulaire T778 *Au provincial* • annexe C de la déclaration de revenus

LES CRÉDITS ET DÉDUCTIONS	
Crédits et déductions	**Conditions d'application**
Déduction pour frais de garde d'enfants (fédéral seulement) Crédit d'impôt remboursable pour frais de garde (provincial seulement) (suite)	

D'IMPÔT POUR 1996		
Calcul au fédéral	**Calcul au provincial**	**Documents à produire**
Frais de pensionnat et de colonie de vancances *Le moins élevé des montants suivants :* • les frais payés, • 150$ par semaine par enfant de moins de 7 ans ou de 7 ans et plus atteint d'une déficience physique ou mentale grave et prolongée, • 90$ par semaine pour chacun des autres enfants de moins de 16 ans au 1er janvier 1996 ou de 16 ans et plus atteint d'une infirmité physique ou mentale.	*Frais de pensionnat et de colonie de vacances* *Le moins élevé des montants suivants :* • les frais payés, • 150$ par semaine par enfant de moins de 7 ans ou de 7 ans et plus atteint d'une déficience physique ou mentale grave et prolongée, • 90$ par semaine pour chacun des autres enfants de moins de 16 ans au 1er janvier 1996 ou de 16 ans et plus atteint d'une infirmité physique ou mentale, *Le taux de crédit d'impôt remboursable est de 75 % des frais de garde admissibles. Il est réduit au fur et à mesure que le revenu familial augmente :* **Revenu familial net Taux du crédit** 0 - 1 000$ 75 % 1 001 - 2 000$ 70 % 2 001 - 3 000$ 65 % 3 001 - 4 000$ 60 % 4 001 - 5 000$ 55 % 5 001 - 6 000$ 51 % 6 001 - 7 000$ 47 % 7 001 - 10 000$ 44 % 10 001 - 34 000$ 40 % 34 001 - 35 000$ 93 % 35 001 - 36 000$ 38 % 36 001 - 37 000$ 37 % 37 001 - 38 000$ 36 % 38 001 - 39 000$ 35 % 39 001 - 40 000$ 34 % 41 001 - 42 000$ 33 % 42 001 - 43 000$ 32 % 43 001 - 44 000$ 31 % 44 001 - 45 000$ 30 % 45 001 - 46 000$ 29 % 46 001 - 47 000$ 28 % 47 001 - 48 000$ 27 % 48 000$ et plus 26,4 %	

	LES CRÉDITS ET DÉDUCTIONS
Crédits et déductions	**Conditions d'application**
Crédit d'équivalent de conjoint (fédéral)	*La personne à charge :* **** • avait moins de 18 ans en 1996 ; ou • avait 18 ans et plus mais était atteinte d'une infirmité physique ou mentale et était unie au contribuable par les liens du sang, du mariage ou de l'adoption. *Le contribuable :* • était célibataire, divorcé, séparé, veuf ou vivait en union de fait sans être considéré comme conjoint. • subvenait aux besoins de la personne à charge, • demeurait avec cette personne en 1996, • ne demande aucun autre crédit pour cette personne, • ne demande pas ce crédit pour une autre personne.
Crédit pour autres personnes à charge (provincial)	*L'autre personne à charge :* • avait 18 ans et plus en 1996 ; • était unie au contribuable ou à son conjoint par les liens du sang, du mariage ou de l'adoption ; • n'était pas le conjoint du contribuable. *Le contribuable :* • habitait ordinairement avec l'autre personne à charge, sauf si celle-ci était placée dans une famille d'accueil ou un établissement de santé en raison d'une infirmité physique ou mentale ; • subvenait aux besoins de cette personne ; • ne demande pas de crédit pour enfants à charge pour cette personne.

D'IMPÔT POUR 1996		
Calcul au fédéral	**Calcul au provincial**	**Documents à produire**
• 915$ moins 17 % du revenu net de la personne à charge excédant 538$	s/o	• Annexe 6 de la déclaration de revenus
s/o	• 480$ ou • 1 180$ pour une autre personne à charge atteinte d'une infirmité physique ou mentale *Le crédit est réduit de :* • 20 % du revenu* de la personne à charge	• Annexe A de la déclaration de revenus

Crédits et déductions	LES CRÉDITS ET DÉDUCTIONS
	Conditions d'application
Déduction pour pension alimentaire (fédéral et provincial)	*Au fédéral et au provincial, les paiements* : • étaient versés comme pension alimentaire ou autre allocation pour subvenir aux besoins du conjoint, des enfants ou des deux ; • étaient faits en vertu d'un arrêt, d'une ordonnance ou d'un jugement rendu par un tribunal compétent, ou en vertu d'un accord écrit entre les conjoints,. • faisaient partie d'une série de versements périodiques ; • étaient versés au conjoint du contribuable. Certains paiements faits à une autre personne peuvent être déduits s'ils : • étaient faits en vertu d'un arrêt, d'une ordonnance ou d'un jugement d'un tribunal ou d'un accord écrit précisant qu'ils étaient imposables pour celui qui les recevait et déductibles pour celui qui les payait ; • couvraient des dépenses engagées alors que les conjoints vivaient séparément ; • étaient faits pour subvenir aux besoins du conjoint, des enfants ou des deux. *Au fédéral et au provincial, le contribuable* : • vivait séparément de son conjoint au moment où les paiements ont été faits et durant le reste de l'année, en vertu d'un divorce, d'une séparation judiciaire ou d'une entente écrite de séparation.
Réduction d'impôt à l'égard de la famille (provincial)	*L'enfant à charge* : • avait moins de 18 ans ou a eu 18 ans en 1996, • ou avait 18 ans ou plus mais était aux études à plein temps. *Le contribuable* : • avait au moins un enfant à sa charge.
Crédit pour personne vivant seule ou uniquement avec un ou des enfants à charge (provincial)	*Le contribuable* : • maintenait un établissement domestique autonome, • et vivait seul ou avec ses enfants à charge pendant toute l'année 1996.

D'IMPÔT POUR 1996		
Calcul au fédéral	**Calcul au provincial**	**Documents à produire**
• pension alimentaire versée en 1996	• pension alimentaire versée en 1996	*Au fédéral* • note indiquant le nom de la personne à qui les paiements ont été faits (les preuves de paiements doivent être produites sur demande) *Au provincial* • preuves de paiements ; • copie du jugement de séparation ou de divorce ; ou • copie de l'entente écrite de séparation accompagnée du certificat de mariage, s'il y a lieu ; • nom et numéro d'assurance sociale de la personne à qui les paiements ont été faits
s/o	• 1 500 $ pour un couple avec enfant • 1 195 $ pour le parent d'une famille monoparentale ne partageant pas son logement avec un autre adulte ou • 970 $ pour le parent d'une famille monoparentale partageant son logement avec un autre adulte *Le crédit est réduit :* • de 4 % du revenu* familial ajusté et • du revenu net de l'enfant excédant 5 900 $	• Annexe B de la déclaration de revenus
s/o	• 210 $ (20 % x 1 050 $) Le montant donnant droit au crédit est réduit ou moindre de: 525 $; ou 7,5 % de l'excédent du revenu net du contribuable sur 26 000 $.	• Preuve de maintien d'un logement (comptes de taxes foncières, relevé 4, etc.) ou • Attestation de maintien d'un établissement domestique autonome

	LES CRÉDITS ET DÉDUCTIONS
Crédits et déductions	**Conditions d'application**
Crédit pour l'hébergement d'un parent (provincial)	*Le parent admissible* : • est le père, la mère, le grand-père, la grand-mère ou un autre ascendant en ligne directe du contribuable ou de son conjoint ; • était âgé ou aurait été âgé, n'eut été de son décès, de 70 ans ou plus au 31 décembre 1996 ; • habitait avec le contribuable pendant 365 jours consécutifs dont 183 en 1996 ; ou • était âgé ou aurait été âgé, n'eut été de son décès, de 60 ans ou plus au 31 décembre 1996 ; et • était atteint d'une déficience physique ou mentale grave et prolongée ; et • habitait avec le contribuable pendant 90 jours en 1996 et avait habité avec un ou plusieurs de ses enfants pendant 365 jours consécutifs dont 183 en 1996. *Le contribuable* : • résidait au Québec le 31 décembre 1996 ou à la date de son décès ; • ne donnait droit à aucun crédit pour personne, sauf son conjoint ; • était propriétaire, locataire ou sous-locataire de l'établissement domestique autonome dans lequel il hébergeait le parent admissible ; ou • était le conjoint du contribuable décédé qui bénéficiait du crédit à l'hébergement d'un parent et continuait à héberger ce parent

s/o : sans objet

*Il s'agit du revenu net auquel sont ajoutés les sommes suivantes :
• le supplément de revenu garanti et l'allocation au conjoint
• les prestations d'aide sociale reçues avant ou après le mariage
• les indemnités pour accident de travail versées par la Commission de la santé et de la sécurité du travail.

**Au fédéral, le crédit pour enfants à charge a été aboli en 1993.

***Il s'agit du revenu pour lequel il est permis de déduire des frais de garde d'enfants, c'est-à-dire le revenu d'emploi ou d'entreprise, les allocations versées en vertu de la Loi nationale sur la formation, les bourses d'études et les subventions de recherches.

À noter. Dans le cas d'un couple dont les conjoints poursuivent simultanément des études à temps plein ou dans le cas d'un chef de famille monoparentale qui poursuit des études à temps plein, il s'agit du revenu de toutes sources.

****Ces conditions ne s'appliquent pas lorsque la personne à charge est le parent ou le grand-parent du contribuable.

À noter. Au fédéral, le taux de 17 % a été appliqué sur la somme servant de base au calcul du crédit pour indiquer le crédit auquel le contribuable a réellement droit. Au provincial, le taux utilisé est de 20 %.

D'IMPÔT POUR 1996		
Calcul au fédéral	**Calcul au provincial**	**Documents à produire**
s/o	• 550 $ pour chaque parent admissible	• Preuve de maintien de logement (comptes de taxes foncières, relevé 4, etc.) • Annexe K de la déclaration de revenus • formulaire TP.1029.8.54 (en certains cas)

CHAPITRE *7*

Les étudiants

En raison de votre statut d'étudiant en 1996, vous avez pu toucher certains revenus particuliers. Peut-être a-t-on couronné votre mérite exceptionnel d'une bourse d'excellence? Vous êtes-vous plutôt contenté des «prêts et bourses» et de vos maigres revenus d'emploi? Quoi qu'il en soit, vous avez certainement droit à des crédits et à des déductions dans le calcul de vos impôts. Connaissez-vous toutes les règles?

Quels revenus déclarer?

En règle générale, vous devez déclarer tous vos revenus, notamment les suivants :

- vos revenus d'emploi, qu'il s'agisse d'un emploi à temps partiel ou d'un emploi à temps plein pendant vos vacances;

- le montant net des subventions de recherche;

▌ le montant des bourses du ministère de l'Éducation et des bourses d'excellence excédant 500$[1];

▌ les versements provenant des revenus d'un régime enregistré d'épargne-études (REÉÉ)[2];

▌ la pension alimentaire versée par votre ex-conjoint.

Par contre, les revenus suivants ne sont pas imposables :

▌ les prêts du ministère de l'Éducation, puisqu'ils sont soumis à des modalités précises de remboursement à la fin de vos études;

▌ les bourses versées aux étudiants gravement handicapés par le ministère de l'Enseignement supérieur et de la Science constituant un remboursement de certains frais reliés à un handicap;

▌ les versements de capital d'un REÉÉ;

▌ si vous êtes majeur, la pension alimentaire payée par l'un de vos parents.

À noter. Si l'un de vos parents reçoit une pension alimentaire pour vous, il doit la déclarer dans son revenu, que vous soyez majeur ou mineur.

Les études à temps plein

Vous avez alors droit à plusieurs crédits et déductions.

■ Le crédit d'impôt pour frais de scolarité (fédéral)

Ce crédit d'impôt est de 17 % des frais de scolarité payés à un établissement d'enseignement postsecondaire en 1996, s'ils excèdent 100 $ pour cet établissement[3].

À noter. L'établissement d'enseignement doit vous remettre un reçu officiel ou le formulaire T2202A. Vous n'avez pas à joindre ce reçu officiel ou le formulaire T2202A à votre déclaration pour avoir droit au crédit. Toutefois, vous devez les conserver pour pouvoir les fournir sur demande.

■ Le crédit d'impôt pour études (fédéral)

Vous bénéficiez aussi d'un crédit d'impôt pour études équivalant à 17 % de 100 $ par mois d'études à temps plein au niveau postsecondaire en 1996[4].

Pour être admissible au crédit d'impôt pour études, le programme dans lequel vous étiez inscrit doit respecter certaines conditions :

- il doit avoir duré au moins trois semaines consécutives ;

- un minimum de 10 heures par semaine doivent avoir été consacrées aux cours ou aux travaux.

Remarque. Si vous étiez inscrit à des cours coopératifs dans le cadre desquels vous avez fréquenté l'université pendant une période scolaire et que vous avez travaillé ensuite pendant une période équivalente pour une entreprise ou une industrie, vous ne pouvez bénéficier du crédit pour études que pour les mois où vous avez fréquenté l'université.

À noter. Vous n'avez pas à joindre le formulaire T2202A ou le formulaire T2202 à votre déclaration pour pouvoir bénéficier de ce crédit. Toutefois, vous devez les conserver pour pouvoir les fournir sur demande.

■ La déduction pour frais de scolarité (provincial)

La totalité des frais de scolarité sont déduits de votre revenu imposable s'ils excèdent 100$ pour l'ensemble des établissements d'enseignement fréquentés.

Les frais de scolarité admissibles

Les frais suivants sont admissibles au crédit pour frais de scolarité au fédéral et à la déduction pour frais de scolarité au provincial :

- les frais de demande d'admission ;
- les frais de confirmation ;
- les frais d'admission, incluant les frais de scolarité ;
- les frais d'utilisation d'une bibliothèque ou d'un laboratoire ;
- les frais d'exemption de cours ;
- les frais d'examen et de recorrection, y compris ceux versés à un ordre professionnel reconnu, s'ils sont requis pour en devenir membre ;

- les frais de délivrance d'un certificat, diplôme ou grade ;

- les cotisations de membre d'association nécessaires à la poursuite des études ou les frais de participation à des séminaires versés à l'égard d'un programme d'études et de son administration, par exemple dans le cadre d'un programme de maîtrise ou de doctorat ;

- les frais obligatoires pour l'utilisation de l'équipement informatique appartenant à l'établissement d'enseignement ; et

- les droits universitaires.

Par contre, les frais suivants ne sont pas admissibles :

- les frais d'activités parascolaires, comme par exemple les cotisations payées à une association d'étudiants ;
- les frais médicaux ;
- les frais de transport et de stationnement ;
- les frais de pension et de logement ;
- les frais pour les droits d'adhésion ou les cotisations d'admission à des associations professionnelles, par exemple pour un étudiant de maîtrise ou de doctorat qui continue de payer ces frais pendant ses études ;
- les frais de matériel scolaire ;
- le coût des livres, à moins qu'il s'agisse de livres faisant partie d'un cours par correspondance offert par un établissement admissible situé au Canada et que le coût de ces livres soit compris dans les frais du cours.

Les frais de scolarité sont admissibles si les conditions suivantes sont respectées :

- les frais sont supérieurs à 100 $ pour chaque établissement fréquenté au fédéral et pour l'ensemble des établissements fréquentés au provincial ;
- ils n'ont pas été remboursés par l'employeur, sauf si le remboursement est inclus dans le revenu. Il peut en effet arriver qu'une personne retourne aux études pour une période déterminée à la demande de son employeur ;
- ils ne font pas partie d'une allocation non imposable reçue par l'un des parents de l'étudiant. Il s'agit de services gratuits ou subventionnés offerts par l'employeur aux enfants des employés, par opposition à une allocation scolaire versée directe-

ment à l'employé qui, elle, est imposable ;

- ils ne donnent pas lieu à un remboursement, ni à toute autre forme d'aide en vertu d'un programme fédéral ou provincial ayant pour objectif de faciliter le retour au marché du travail ;
- ils ont été versés à un « établissement admissible ». Ces établissements comprennent les universités, les collèges et les autres institutions offrant des cours reliés à l'obtention ou l'amélioration de compétences nécessaires à l'exercice d'activités professionnelles, dans la mesure où les cours sont certifiés par le ministère du Développement des ressources humaines.

Attention ! Les frais de scolarité versés pour des cours qui ne sont pas de niveau postsecondaire ne donnent droit à aucun crédit ou déduction, sauf dans les cas suivants :

- l'établissement d'enseignement est reconnu par le ministère du Développement des ressources humaines ;
- l'étudiant est âgé d'au moins 16 ans à la fin de l'année ;
- le cours suivi a comme objectif de permettre l'acquisition d'une compétence professionnelle.

Les frais de scolarité versés à un club de pilotage aérien sont admissibles au crédit et à la déduction si les cours ont pour but de permettre à l'étudiant de devenir pilote de ligne ou instructeur de vol professionnel.

Il est possible de communiquer avec un bureau de Revenu Canada ou de Revenu Québec pour s'assurer que l'institution où les cours de formation professionnelle ont été suivis était un établissement admissible.

Les études à temps partiel

Vous pouvez bénéficier du crédit d'impôt pour frais de scolarité au fédéral et de la déduction pour frais de scolarité au provincial, et ce, même si vous étiez seulement étudiant à temps partiel. Vous ne pouvez cependant pas bénéficier du crédit d'impôt pour études au fédéral, sauf si vous étiez handicapé[5]. Vous êtes considéré avoir poursuivi des études à temps partiel notamment dans les cas suivants :

- vous ne suiviez que quelques cours du soir;
- vous étiez étudiant de jour mais consacriez en même temps beaucoup d'énergie à une autre activité, par exemple un emploi, qui est votre principale occupation; ou
- vous suiviez moins de 60% du nombre normal de cours pour le programme d'une session à laquelle vous vous étiez inscrit[6].

CRÉDITS ET DÉDUCTIONS D'IMPÔT RELATIFS AUX FRAIS DE SCOLARITÉ ET D'ÉTUDES EN 1996		
Crédits et déductions	Fédéral	Provincial
Crédit d'impôt pour frais de scolarité	• 17 % des frais de scolarité, s'ils excèdent 100$ par établissement fréquenté • Possibilité de transfert au conjoint ou à un parent	s/o
Crédit d'impôt pour études	• 17 % X 100$ par mois d'études à temps plein • Possibilité de transfert au conjoint ou à un parent	s/o
Déduction pour frais de scolarité	s/o	Frais de scolarité payés, s'ils excèdent 100$ au total
Déduction des frais de déménagement	Montant payé en 1996	Montant payé en 1996
s/o : sans objet		

Les études à l'extérieur du Québec

Les déductions et les crédits d'impôt relatifs aux études s'appliquent lorsque vous avez étudié dans une maison d'enseignement située au Canada, et ce, aux niveaux provincial et fédéral. Le fait d'étudier au Canada mais à l'extérieur du Québec n'a donc aucune incidence sur le plan fiscal.

Les études à l'extérieur du Canada

Vous pouvez avoir droit aux crédits d'impôt pour frais de scolarité et pour études et à la déduction pour frais de scolarité si vous avez étudié à l'extérieur du Canada.

C'est le cas si vous étiez étudiant dans un établissement postsecondaire aux États-Unis, si vous habitiez au Canada près de la frontière et si vous faisiez le trajet entre votre résidence et cet établissement.

De plus, vous pouvez également bénéficier des crédits et des déductions si vous étiez étudiant à temps plein dans une université située aux États-Unis ou ailleurs à l'étranger et si les cours suivis menaient à un diplôme. Enfin, la durée des études devait être d'au moins 13 semaines consécutives.

Conseil. Il est préférable de communiquer avec le bureau de l'impôt international ou avec un bureau de Revenu Canada ou Revenu Québec afin de vous assurer que l'établissement fréquenté est reconnu aux fins de la déduction ou du crédit d'impôt pour frais de scolarité et du crédit d'impôt pour fins d'études.

Le conjoint et les parents de l'étudiant

Les frais reliés aux études représentent un avantage fiscal intéressant au fédéral. En effet, le crédit d'impôt pour frais de scolarité et le crédit d'impôt pour études de l'étudiant peuvent être transférés s'ils sont supérieurs à son impôt à payer. Si l'étudiant avait un conjoint, la partie inutilisée des crédits peut être transférée à son conjoint. Le montant du transfert ne doit pas dépasser 850 $, soit 17 % de 5 000 $ de frais de scolarité et de montants relatifs aux études.

Le transfert peut aussi avoir lieu en faveur des parents ou des grands-parents dans les cas suivants :

▮ l'étudiant n'avait pas de conjoint; ou

▮ le conjoint de l'étudiant ne demande ni de transfert pour lui-même ni de crédit pour conjoint.

Si le revenu d'un étudiant lui permet d'utiliser entièrement les crédits, il doit le faire. Il ne peut pas les transférer.

À noter. Lorquse les crédits sont transférés à l'un des parents ou l'un des grands-parents, l'étudiant doit indiquer sur le formulaire T2202 ou T2202A la personne qui bénéficie du transfert. Celle-ci n'a pas à joindre le formulaire et le reçu pour frais de scolarité à sa déclaration de revenus. Toutefois, elle doit les conserver pour pouvoir les fournir sur demande. Si les crédits sont transférés au conjoint, celui-ci doit remplir l'annexe 2 de la déclaration de revenus.

Au provincial, il est impossible de transférer la déduction pour frais de scolarité inutilisée. Le parent d'un étudiant à charge peut toutefois bénéficier d'une somme additionnelle dans le calcul de son crédit d'impôt personnel pour enfants à charge. Cette somme est de 330 $ (1 650 $ X 20 %) par trimestre, pour un maximum de deux trimestres par année. Ce crédit s'ajoute au crédit d'impôt personnel pour enfants à charge. Il s'applique dans les mêmes conditions et est réduit de 20 % du revenu de l'étudiant.

À noter. Le parent qui demande le crédit pour enfants à charge doit remplir l'annexe A de sa déclaration de revenus et, pour obtenir le crédit supplémentaire pour études, il doit y joindre le Relevé 8. Ce relevé est délivré par l'établissement d'enseignement.

SPRINT

Les contribuables qui travaillent depuis au moins six ans et qui désirent se perfectionner en suivant un programme de formation professionnelle, à temps plein, au secondaire ou au collégial, peuvent profiter du programme de subvention et prêt individuels aux travailleurs et travailleuses (SPRINT). La formation suivie doit totaliser un maximum de 12 mois d'études à temps plein répartis sur une durée maximale de 16 mois et mener à l'obtention d'un diplôme officiel reconnu par le ministère de l'Éducation du Québec.

Ce programme est mis de l'avant par la Société québécoise de développement de la main-d'œuvre et est disponible auprès des caisses populaires et d'économie Desjardins.

L'aide financière gouvernementale prend la forme d'un prêt garanti et d'une prestation à la formation qui couvrent environ 90 % des revenus d'emploi, après impôt, de l'année précédant la formation. Les revenus d'emploi maximaux considérés sont de 55 000 $.

La prestation de formation n'est pas imposable au provincial. De plus, après la formation et à la suite de l'obtention d'une sanction officielle des études, le travailleur ou la travailleuse peut obtenir, au provincial, une déduction fiscale applicable au remboursement du prêt (intérêts et capital). Le relevé 20 doit être annexé à la déclaration de revenus.

Il est à noter que le travailleur qui a fréquenté à temps plein un établissement d'enseignement secondaire, collégial ou universitaire au cours des six années qui précèdent sa demande n'est pas admissible au programme SPRINT, sauf s'il fréquentait cet établissement en vertu d'un programme fédéral ou provincial de main-d'œuvre.

Pour plus de renseignements, adressez-vous à la Société québécoise de développement de la main-d'œuvre ou à la caisse populaire de votre région ou de votre quartier.

Le déménagement

Si vous avez déménagé pour étudier à temps plein dans une université, un collège ou un autre établissement de niveau postsecondaire, vous pouvez déduire les frais de déménagement[7]. Le déménagement doit vous permettre de réduire d'au moins 40 km la distance à parcourir pour vous rendre à l'établissement d'enseignement. Les frais sont déductibles seulement jusqu'à concurrence de votre revenu provenant soit d'une bourse d'études, soit d'une subvention de recherche. Les frais sont déductibles même si vous avez étudié à l'extérieur du Canada.

À noter. Les frais ne sont déductibles que pour la première année d'études à temps plein dans un établissement d'enseignement donné.

À retenir !

- Même si vous êtes étudiant, vous devez déclarer vos revenus de toutes provenances. Toutefois, les premiers 500$ de bourses que vous avez reçus ne sont pas imposables.

- Si vous êtes étudiant à temps plein, vous pouvez réclamer un crédit d'impôt pour études au niveau fédéral.

- Si vous êtes étudiant à temps partiel, vous n'avez pas droit à ce crédit d'impôt pour études.

- Que vous soyez étudiant à temps plein ou à temps partiel, vous pouvez réclamer un crédit d'impôt au fédéral pour vos frais de scolarité admissibles. Au Québec, les frais de scolarité admissibles donnent droit à une déduction dans le calcul de votre revenu.

- Si vos revenus ne sont pas suffisamment élevés pour utiliser le montant total de vos crédits et déductions pour études et frais de scolarité, vous pouvez transférer un maximum de 850$ de crédits fédéraux à vos parents ou à votre conjoint. Au Québec, le transfert de la portion inutilisée de vos frais de scolarité n'est pas possible. Toutefois, le parent d'un étudiant a droit à une somme additionnelle maximale de 660$ pour chacun de ses enfants à charge aux études.

■ RÉFÉRENCES

1. *Loi de l'impôt sur le revenu* (L.I.R.), S.C. 1970-1971-1972, c. 63, telle que modifiée, art. 56(1)n); *Loi de l'impôt sur le revenu* (L.I.) L.R.Q., c. I-3, art. 312 g); Bulletin d'interprétation du gouvernement fédéral IT-75R3

2. L.I.R., précitée, art. 56(1)q); L.I., précitée, art. 311 i)

3. L.I.R., précitée, art. 118.5; Bulletin d'interprétation du gouvernement fédéral IT-516R

4. L.I.R., précitée, art. 118.6(2)

5. L.I.R., précitée, art. 118.6(3)

6. Bulletin d'interprétation du gouvernement fédéral IT-515R

7. L.I.R., précitée, art. 62; L.I., précitée, art. 347, 348, 349 et 350

CHAPITRE 8

Les personnes handicapées

Plusieurs mesures ont été adoptées par les gouvernements fédéral et provincial afin de promouvoir l'égalité des chances en faveur des personnes handicapées et de les aider à faire face aux dépenses qu'elles doivent engager en raison de leur handicap.

Quels revenus déclarer?

Comme tout autre contribuable, vous êtes en principe imposé sur tous vos revenus, notamment sur les prestations d'invalidité du Régime des rentes du Québec (RRQ) ou du Régime de pensions du Canada (RPC). Par contre, les indemnités versées aux victimes d'accidents de travail, d'actes criminels et d'accidents d'automobile ne sont pas imposées[1]. Il en est de même du revenu gagné sur les sommes reçues à titre de dommages-intérêts pour un dommage physique ou mental, si le bénéficiaire est âgé de 21 ans ou moins à la fin de l'année[2]. Enfin, vous devez déclarer les prestations d'un régime d'assurance collective auquel votre employeur a contribué alors que celles provenant d'un régime auquel votre employeur n'a pas participé ne sont pas imposables.

À noter. Les prestations d'invalidité du RRQ et du RPC sont incluses dans la définition du revenu gagné servant à établir le montant des contributions au REÉR. Vous pouvez donc contribuer à un REÉR en 1996 si vous avez reçu des prestations d'invalidité du RRQ ou du RPC en 1996. (*Voir le chapitre «Le point sur les abris fiscaux».*)

Attention! Les sommes suivantes, versées par un employeur, ne constituent pas des avantages imposables :

- les indemnités de transport (taxi, autobus, stationnement) versées à une personne aveugle ou atteinte d'un handicap moteur grave ou prolongé, pour lui permettre de circuler entre son domicile et son travail[3];

- le salaire d'un préposé chargé d'aider une personne atteinte d'une déficience mentale ou physique grave à accomplir son travail[4].

Par ailleurs, les bourses versées par le ministère de l'Enseignement supérieur et de la Science aux étudiants gravement handicapés pour le remboursement de certaines dépenses admissibles ne sont pas imposables.

Le crédit pour personne handicapée et le crédit pour personne atteinte d'une déficience physique ou mentale

Au fédéral, vous pouvez réclamer le crédit pour personne handicapée de 720$ (4 233$ X 17%). Au provincial, le crédit pour personne atteinte d'une déficience physique ou mentale est de 440$ (2 200$ X 20%)[5]. Vous pouvez bénéficier de ces crédits si vous étiez atteint d'une déficience physique ou mentale grave et prolongée.

Si vous réclamez ces crédits pour la première fois ou si votre état de santé s'est amélioré en 1996, vous devez annexer le formulaire T2201 au fédéral et le formulaire TP-752.0.14 au provincial afin de confirmer la gravité de votre état. Ceux-ci doivent être signés par un médecin. S'il s'agit d'une déficience visuelle, l'attestation peut aussi provenir d'un optométriste.

À noter. Les crédits ne sont pas accordés si vous réclamez, par le biais de votre crédit pour frais médicaux, une déduction pour les frais d'un préposé aux soins à temps plein ou les frais de séjour dans une maison de santé ou de repos[6].

La déficience physique ou mentale grave et prolongée

Vous étiez atteint d'une déficience mentale ou physique grave en 1996 si la déficience dont vous souffriez vous limitait de façon importante dans vos activités quotidiennes. La déficience doit avoir persisté pendant au moins 12 mois ou, si elle est apparue en 1996, il doit être plausible qu'elle durera un an.

La déficience est considérée comme « grave », notamment dans les situations suivantes :

- vous étiez restreint de façon marquée dans vos activités quotidiennes malgré l'utilisation d'appareils médicaux ou de médicaments ;
- vous étiez aveugle, n'étiez pas autonome ou vous mettiez beaucoup plus de temps qu'un autre à accomplir vos activités quotidiennes, malgré l'utilisation d'une prothèse ou d'un autre appareil médical.

Les activités quotidiennes comprennent, par exemple :

- les soins personnels, comme les repas, l'habillement ou les mesures d'hygiène ;
- les communications (téléphone et autres) ;
- la gestion des affaires personnelles ;
- les déplacements à l'intérieur d'une maison.

Entre autres, le fisc considère les maladies suivantes comme des déficiences graves :

- la cécité ;
- des troubles cardio-respiratoires importants ;
- une surdité profonde des deux oreilles ;
- une déficience fonctionnelle des systèmes neurosquelettique ou musculosquelettique entraînant une limitation marquée de la mobilité.

Si le fisc a des doutes quant à la nature de la déficience, il peut obtenir l'avis du ministère de la Santé nationale et du Bien-être social pour établir si une personne souffrait d'une déficience grave et prolongée. Il transmet alors les formulaires d'examens médicaux fournis par la personne handicapée à ce ministère.

À noter. Certains allégements fiscaux s'appliquent lorsqu'une personne est atteinte d'une « infirmité physique ou mentale ». Une personne souffre d'une infirmité physique ou mentale lorsqu'elle ne jouit pas d'une de ses fonctions ou n'en jouit qu'imparfaitement, sans toutefois que sa santé générale en souffre. Son état peut être congénital ou accidentel.

Le crédit pour frais médicaux

Tous les contribuables, peu importe la gravité de leur état, ont droit à un crédit de 17 % au fédéral et de 20 % au provincial des frais médicaux excédant la moins élevée des sommes suivantes :

- 3 % du revenu net ; ou
- 1 614 $.

Remarque. Au provincial, à compter de l'année d'imposition 1997, la limite relative au montant de 1 614 $ sera abolie et le revenu devant être considéré pour réduire les frais donnant droit au crédit d'impôt pour frais médicaux sera le revenu net du contribuable et celui de son conjoint, s'il y a lieu.

Si vous étiez handicapé, il est fort probable que vous ayez engagé des frais médicaux particuliers à votre situation[7]. Par exemple, les frais suivants sont déductibles :

- la rémunération payée à un préposé à temps plein dans une maison de santé ou de repos ou les frais de séjour dans un tel endroit ;
- la rémunération payée à un préposé à plein temps à domicile ;
- les frais engagés pour les soins seulement ou à la fois pour les soins et pour votre réadaptation dans une école ou une institution. Un médecin doit attester que vous aviez besoin d'équipement, d'installations ou de personnel spécialisés à cet endroit ;
- le coût d'acquisition, des soins et de l'entretien d'un chien-guide si vous étiez totalement aveugle ou d'un chien qui sert à vous alerter si vous étiez complètement sourd ;
- les frais engagés pour l'achat d'appareils spéciaux comme un fauteuil roulant, un lit d'hôpital, un appareil pour vous aider à marcher ou un dispositif pour vous permettre de conduire un véhicule automobile ;
- les frais de transport par ambulance entre votre résidence et l'hôpital ;
- la rémunération payée à un préposé à temps partiel, y compris les frais de soins à domicile, jusqu'à concurrence de 5 000 $, ou de 10 000 $ dans l'année du décès. Cette somme ne doit pas être réclamée à titre de déduction pour les frais d'un préposé aux soins si elle est incluse dans les frais médicaux ;

■ le coût d'un animal dressé pour aider une personne atteinte d'une déficience grave et prolongée qui limite de façon marquée l'usage de ses bras et de ses jambes. L'animal doit provenir d'une organisation dont l'un des buts principaux est le dressage de tels animaux. Les coûts liés aux soins et à l'entretien de l'animal, y compris la nourriture et les soins de vétérinaire, sont également déductibles;

■ le coût des produits pour les personnes incontinentes en raison d'une déficience physique;

■ les frais raisonnables liés à des transformations effectuées à votre domicile pour vous permettre d'y avoir accès et de vous y déplacer, si vous êtes atteint d'un handicap moteur grave et prolongé.

À noter. Les reçus pour les frais médicaux payés doivent être annexés à votre déclaration de revenus.

Le préposé aux soins à temps plein — choisir le meilleur crédit

Jean est paraplégique. En 1996, il a versé 8 000 $ à un préposé à temps plein pour ses soins personnels. Les services du préposé n'étaient cependant pas nécessaires pour qu'il puisse exercer son emploi. Jean a gagné un revenu net de 25 000 $. S'il décide de demander les crédits pour personne handicapée et pour personne atteinte d'une déficience physique et mentale, il doit renoncer à déduire les frais du préposé par le biais du crédit pour frais médicaux. Jean a droit au crédit suivant pour frais médicaux :

Frais médicaux payés	8 000 $
Moins : 3 % de son revenu (3 % de 25 000 $) (jusqu'à concurrence de 1 614 $)	750 $
	7 250 $

Son crédit pour frais médicaux est de 1 232,50 $ au fédéral (7 250 $ X 17 %) et de 1 450 $ au provincial (7 250 $ X 20 %). Les crédits pour personne handicapée et pour personne atteinte d'une déficience physique ou mentale étant respectivement de 720 $ et de 440 $, Jean aurait donc avantage à réclamer les frais du préposé aux soins par le biais du crédit pour frais médicaux, au fédéral et au provincial et à renoncer aux crédits pour personne handicapée et pour personne atteinte d'une déficience physique ou mentale.

Attention ! Si Jean avait eu besoin du préposé pour travailler, suivre des cours, ou faire des recherches, il aurait pu déduire les frais engagés pour le préposé directement de son revenu et, en plus, réclamer les crédits pour personne handicapée et pour personne atteinte d'une déficience physique ou mentale.

La déduction pour les frais d'un préposé aux soins

Les frais d'un préposé aux soins peuvent être déduits directement de votre revenu plutôt que par le biais du crédit pour frais médicaux si vous étiez atteint d'une déficience physique ou mentale grave. Vous pouvez ainsi bénéficier d'une réduction d'impôt importante.

À noter. Vous devez remplir les formulaires T929 au fédéral et TP-358.0.1 au provincial.

Vous avez droit à la déduction pour les frais d'un préposé aux soins notamment lorsque ces frais vous ont permis de :

- gagner un revenu d'emploi ou de travailleur autonome ;
- suivre des cours de formation professionnelle pour lesquels une allocation de formation a été reçue ;
- ou faire des recherches pour lesquelles une subvention a été reçue. Pour que cette déduction s'applique, le préposé devait être âgé de 18 ans ou plus et ne pas vous être uni par les liens du sang, du mariage ou de l'adoption.

La déduction est égale au moindre des montants suivants :

- les frais effectivement payés, moins tout remboursement reçu ou à recevoir à ce titre ;
- 2/3 de votre revenu gagné ; ou
- 5 000 $.

Attention ! Vous pouvez bénéficier de cette déduction même si vous réclamez le crédit pour personne handicapée et le crédit pour personne atteinte d'une déficience physique ou mentale.

Le conjoint et les parents d'une personne handicapée

Au fédéral, le contribuable ayant subvenu aux besoins d'un enfant à charge de plus de 18 ans et atteint d'une infirmité physique ou mentale peut bénéficier du crédit pour personnes à charge.

Au provincial, le contribuable ayant subvenu aux besoins d'un enfant à charge atteint d'une infirmité physique ou mentale peut avoir droit au crédit pour enfants à charge, même si l'enfant est placé dans une famille d'accueil ou un établissement de santé. Lorsque cet enfant atteint l'âge de 18 ans, le crédit pour autres personnes à charge peut également s'appliquer.

Le contribuable ayant subvenu aux besoins d'une personne atteinte d'une infirmité physique ou mentale peut avoir droit au crédit pour autres personnes à charge. La personne handicapée devait être âgée de 18 ans ou plus et habiter avec le contribuable. De plus, elle devait lui être unie par les liens du sang, du mariage ou de l'adoption. Il peut s'agir des parents, des grands-parents, des oncles et des tantes du contribuable ou de ceux de son conjoint. Le conjoint n'est pas considéré comme une autre personne à charge.

Dans tous les cas, le contribuable peut inclure dans ses frais médicaux ceux qu'il a engagés pour une personne à charge.

Au fédéral et au provincial, le contribuable bénéficie d'une limite de déduction plus élevée pour les frais de garde engagés si son enfant était atteint d'une déficience physique ou mentale grave et prolongée. De plus, ces frais continuent d'être déductibles si l'enfant était âgé de plus de 16 ans et était atteint d'une infirmité physique ou mentale.

Finalement, il peut arriver qu'une personne handicapée n'utilise pas, en tout ou en partie, son crédit pour personne handicapée, son crédit pour personne atteinte d'une déficience physique ou mentale ou son crédit pour frais médicaux. Toute partie inutilisée peut être transférée à son conjoint ou à une personne subvenant à ses besoins. Les crédits peuvent par exemple être transférés à un parent qui réclame également un crédit pour enfants à charge pour une personne handicapée ou à un grand-parent qui a assumé ses frais d'entretien. Les crédits pour personne handicapée et pour personne atteinte d'une déficience physique et mentale ne peuvent pas être transférés si la rémunération d'un préposé ou des frais de séjour sont réclamés à titre de frais médicaux.

À noter. Le formulaire T2201 au fédéral et le formulaire TP-752.0.14 au provincial doivent être annexés à la déclaration de revenus.

À retenir!

■ Si vous êtes handicapé, vous avez droit de déduire de vos impôts à payer certains crédits prévus à cet effet. Votre handicap doit être grave et prolongé (persistant pendant au moins 12 mois) pour avoir droit à ces crédits.

■ Vous avez également droit à des crédits pour les frais médicaux que vous avez engagés.

■ Si vous êtes le parent ou le conjoint d'une personne atteinte d'une déficience physique ou mentale, vous pouvez réclamer le crédit pour personne à charge en plus de bénéficier de la portion non utilisée des crédits de la personne handicapée.

■ RÉFÉRENCES

1. *Loi de l'impôt sur le revenu* (L.I.R.), S.C. 1970-1971-1972, c. 63, telle que modifiée, art. 81(1)(g) et (q); *Loi sur les impôts* (L.I.), L.R.Q., c. I-3, art. 488; Bulletin d'interprétation du gouvernement fédéral IT-365R2, par. 11 et 12

2. L.I.R., précitée, art. 81(1)g.1) et g.2); Bulletin d'interprétation du gouvernement fédéral IT-365R2, par. 4

3. L.I.R., précitée, art. 6(16)a)

4. L.I.R., précitée, art. 6(16)b)

5. L.I.R., précitée, art. 118.3(1); L.I., précitée, art. 752.0.14(d)

6. L.I.R., précitée, art. 118.3(2)(b); L.I., précitée, art. 752.0.14(d)

7. L.I.R., précitée, art. 118.2(2)

CHAPITRE 9

Les aînés

Les privilèges de l'âge ne comprennent malheureusement pas celui de vivre à l'abri de l'impôt. Souvent, les revenus changent de nature et ont tendance à diminuer à l'âge de la retraite. Des allégements fiscaux sont toutefois accordés.

Quels revenus déclarer?

Vous devez payer de l'impôt sur tous vos revenus, incluant les revenus de pension, par exemple :

- la pension reçue en vertu de la Loi sur la sécurité de la vieillesse (feuillets T4A(P) et T4(OAS) au fédéral et TP4A(OAS) au provincial);

- les prestations prévues par le Régime de pensions du Canada (RPC) ou par le Régime des rentes du Québec (RRQ) (feuillet T4A(P) au fédéral et relevé 2 au provincial);

■ les prestations de retraite provenant d'un régime de pension agréé de l'employeur (RPA), d'un régime enregistré d'épargne-retraite (REÉR), d'un Fonds enregistré de revenus de retraite (FERR) et d'un régime de participation différée aux bénéfices (RPDB) (feuillet T4RSP au fédéral et relevé 2 au provincial);

■ les allocations de retraite versées par votre employeur en reconnaissance de vos longs états de service (feuillet T4A au fédéral et relevé 1 au provincial).

À noter. Une portion des allocations de retraite peut être transférée dans un RPA ou dans un REÉR. (*Voir le chapitre «Le point sur les abris fiscaux».*)

Certains contribuables peuvent avoir droit à des sommes additionnelles versées par le gouvernement. Il s'agit du supplément de revenu garanti pour les contribuables à faible revenu et de l'allocation au conjoint, incluant l'allocation pour veuf ou veuve, pour une personne âgée entre 60 et 65 ans dont le conjoint a droit à une pension en vertu de la Loi sur la sécurité de la vieillesse. Ces sommes sont incluses dans le calcul du revenu total mais sont déduites dans celui du revenu net.

Les revenus de retraite

Vous pouvez bénéficier du crédit pour revenus de pensions au fédéral et du crédit pour revenus de retraite au provincial[1]. Ce crédit est égal à 17 % au fédéral et à 20 % au provincial du moins élevé des sommes suivantes :

■ 1 000 $; ou
■ certains revenus de retraite ou de pension reçus en 1996, en fonction de votre âge.

Attention ! Au provincial, si votre revenu net pour l'année d'imposition 1996 excède 26 000 $, vous devez réduire le montant servant au calcul de votre crédit pour revenus de retraite. La réduction est égale au moindre de la moitié du montant servant au calcul de votre crédit pour revenus de retraite ou 7,5 % de l'excédant de votre revenu net sur 26 000 $. Ainsi, si votre revenu net a été de 32 667 $ ou plus en 1996 et que vos revenus de retraite ou de pensions reçus en 1996 et devant servir au calcul de votre crédit pour revenus de retraite sont supérieurs à 1 000 $, votre crédit est de 100 $

(1 000 $ - ((32 667 $ - 26 000 $) x 7,5 %)) x 20 %. Pour les années d'imposition 1997 et suivantes, la réduction sera égale au moindre du montant devant servir au calcul de votre crédit pour revenus de retraite ou 15 % de l'excédent de votre revenu net sur 26 000 $.

À noter. Si vos revenus sont peu élevés, il se peut que vous puissiez bénéficier de la réduction d'impôt à l'égard de la famille au provincial si vous avez un enfant à charge, par exemple un petit-enfant, et du remboursement d'impôts fonciers.

■ Vous aviez 65 ans ou plus

Vos revenus de pension admissibles aux crédits comprennent entre autres les revenus suivants :

- les montants de rente viagère reçus en vertu d'un RPA ou d'autres pensions ;
- les montants de rente reçus d'un REÉR ou d'un FERR ;
- les montants de rente reçus d'un RPDB.

■ Vous aviez moins de 65 ans

Vous pouvez bénéficier des crédits pour les revenus suivants :

- les montants de rente viagère reçus en vertu d'un RPA ou d'autres pensions ;
- les montants provenant d'un régime qui auraient été admissibles si vous aviez eu 65 ans. Ces montants doivent avoir été reçus à la suite du décès de votre conjoint.

Les revenus suivants ne vous permettent pas de bénéficier des crédits, peu importe votre âge :

- la pension de sécurité de la vieillesse ainsi que les suppléments ;
- les prestations du RPC ou du RRQ ;
- les montants forfaitaires reçus au retrait de sommes d'une caisse de pensions, d'un REÉR ou d'un RPDB ;
- les allocations de retraite, telles les indemnités de cessation d'emploi ;
- les prestations consécutives au décès ; et
- les prestations de pension et les prestations d'un RPDB transférées à un REÉR ou à un RPA.

À noter. Au fédéral, vous devez annexer les formulaires T4A(P) et T4A(OAS) à votre déclaration de revenus. Au provincial, le relevé 2 et le formulaire TP4(OAS) doivent être produits.

Attention! Toute partie des crédits dont vous n'avez pas besoin pour réduire votre impôt à zéro peut être transférée à votre conjoint.

Le crédit d'impôt en raison de l'âge

Si vous aviez 65 ans ou plus en 1996, vous pouvez réclamer le crédit d'impôt en raison de l'âge[2]. Le crédit maximum est de 592 $ (3 482 $ x 17 %) au fédéral et de 440 $ (2 200 $ x 20 %) au provincial.

En effet, le montant servant au calcul de votre crédit en raison de l'âge est réduit en fonction de votre revenu net pour l'année d'imposition. Au fédéral, la réduction est égale au moindre de 3 482 $ ou 15 % de l'excédent de votre revenu net sur 25 921 $. Ainsi, si votre revenu net a été de 49 134 $ ou plus en 1996, votre crédit est nul (3 482 $ - ((49 134 $ - 25 921 $) x 15 %)) x 17 %. Au provincial, la réduction est égale au moindre de 1 100 $ ou 7,5 % de l'excédent de votre revenu net sur 26 000 $. Ainsi, si votre revenu net a été de 40 667 $ ou plus en 1996, votre crédit est de 220 $ (2 200 $ - ((40 667 $ - 26 000 $) x 7,5 %)) x 20 %. Pour les années d'imposition 1997 et suivantes, la réduction sera égale au moindre de 2 200 $ ou 15 % de l'excédant de votre revenu net sur 26 000 $.

À noter. Toute partie du crédit dont vous n'avez pas besoin pour réduire votre impôt à zéro peut être transférée à votre conjoint.

Les impôts fonciers

Au provincial, vous pouvez réclamer un remboursement d'impôts fonciers (taxes municipales et scolaires) pour le logement ou la maison que vous habitiez au 31 décembre 1996. Ce remboursement peut atteindre 514 $ en 1996.

Les séjours à l'étranger

Comme il s'agit d'une situation temporaire, vous conservez probablement votre statut de résident canadien. Vous devez donc continuer de produire une déclaration de tous vos revenus, ceux gagnés à l'étranger, au Canada et au Québec. Seuls les revenus gagnés dans l'autre pays peuvent être imposés dans cet autre pays. Le cas échéant, vous pouvez toutefois bénéficier du crédit pour impôt étranger.

À noter. Avant votre départ, vous pouvez obtenir une pièce attestant que vous êtes un résident du Canada à votre bureau de district d'impôt. En remettant une copie de cette pièce aux personnes ou aux organismes canadiens qui doivent vous verser des revenus, vous évitez que l'impôt des non-résidents soit retenu.

En général, vous êtes considéré comme un non-résident lorsque vous avez démontré l'intention de quitter le Canada de façon définitive, par exemple dans les circonstances suivantes :

- votre séjour à l'étranger est permanent ;
- vous avez coupé vos liens avec le Canada (résidence, compte d'épargne, etc.).

Un impôt est alors retenu sur la plupart de vos revenus provenant du Canada et vous devez payer l'impôt à l'étranger.

La contribution au Fonds des services de santé

Au provincial, si vous avez reçu, entre autres, des revenus de pension et de retraite, des revenus de dividendes et d'intérêts et des gains en capital imposables d'un montant supérieur à 5 000 $, vous devez effectuer une contribution au Fonds des services de santé. (*Voir le chapitre « Tous les contribuables ».*)

Vous bénéficiez toutefois d'un crédit d'impôt non remboursable équivalant à 20 % du montant de la contribution versée.

Important. Le montant reçu au titre de la pension de la sécurité de vieillesse n'est plus assujetti à la contribution au Fonds des services de santé.

Les frais judiciaires

Les frais judiciaires engagés pour obtenir une allocation de retraite ou une prestation de pension sont déductibles. La déduction est limitée au revenu de pension ou à l'allocation de retraite reçue dans l'année grâce aux frais judiciaires engagés[3]. Les frais non déduits peuvent être reportés aux sept années subséquentes, toujours jusqu'à concurrence des mêmes limites.

À retenir!

- Malgré la baisse de vos revenus lors de la retraite, vous devez vous imposer sur vos revenus de toutes provenances.

- Toutefois, vos revenus de retraite peuvent vous faire bénéficier d'un crédit d'impôt.

- Votre crédit en raison d'âge est réduit en fonction de votre revenu net pour l'année.

- La somme reçue au titre de la pension de sécurité de vieillesse n'est pas assujettie à la contribution au fonds des services de santé.

■ RÉFÉRENCES

1. *Loi de l'impôt sur le revenu* (L.I.R.), S.C. 1970-1971-1972, c. 63, telle que modifiée, art. 118(3); *Loi sur les impôts* (L.I.), L.R.Q., c. I-3, art. 752.0.8
2. L.I.R., précitée, art. 118(2); L.I., précitée, art. 752.0.1(j)
3. L.I.R., précitée, art. 60 o.1; L.I., précitée, art. 336 e.1

CHAPITRE *10*

Vos placements

La situation économique ne vous a pas empêché d'effectuer certains investissements en 1996 ou de recevoir des intérêts ou des dividendes sur ceux que vous aviez déjà effectués? Avez-vous plutôt décidé de vendre vos placements? Que vos investissements aient été rentables ou non, vous pouvez probablement profiter de certains allégements fiscaux.

Les frais de placements

Vous pouvez déduire dans le calcul de votre revenu les frais financiers et les frais d'intérêts engagés pour effectuer vos placements. Les frais financiers comprennent:

- les frais de gestion des placements;
- les frais de location de coffres-forts;
- les honoraires versés pour la comptabilisation des revenus de placements;
- les honoraires de conseillers en placements.

Les frais d'intérêts sont déductibles seulement s'ils ont été payés sur l'argent emprunté pour gagner un revenu de placements[1]. Ils ne sont plus déductibles lorsque l'argent emprunté n'est plus utilisé pour gagner ce revenu.

Si vous avez acheté des obligations d'épargne au moyen de retenues sur votre salaire, une partie des sommes retenues constitue des frais d'intérêts, déductibles de votre revenu. Par exemple, vous avez acheté une obligation d'épargne de 2 000 $ au moyen de retenues mensuelles sur votre salaire de 175 $ chacune, pour un total de 2 100 $. La somme de 100 $ (2 100 $ - 2 000 $) est déductible.

Attention! Suivant une politique des ministères du Revenu, les frais engagés pour remplir les déclarations de revenus ne sont généralement pas déductibles. Par contre, ils peuvent l'être s'ils permettent de tirer des revenus d'une entreprise ou d'un bien lorsque l'entreprise ou le bien est de nature telle que l'utilisation des services comptables fait normalement partie de leur exploitation.

À noter. Les frais de placements engagés ont pour effet d'augmenter le compte des pertes nettes cumulatives sur placements (PNCP) au fédéral et au provincial. Ils risquent donc de réduire le montant admissible à l'exonération des gains en capital de 500 000 $. (*Voir le chapitre « Les mesures fiscales particulières ».*)

▼ *Quelques exemples*

Le 1ᵉʳ février 1996, Jacqueline a emprunté la somme de 10 000 $ pour acquérir des actions. Le 30 novembre 1996, elle a vendu ses actions pour une somme de 10 500 $ (déduction faite des frais de courtage). Elle a utilisé cet argent pour acheter une nouvelle voiture. Jacqueline a payé 745 $ d'intérêts pour la période comprise entre le 1ᵉʳ février 1996 et le 30 novembre 1996 et 75 $ pour la période du 1ᵉʳ au 31 décembre 1996. Quelle déduction peut-elle réclamer?

Elle peut seulement déduire la somme de 745 $ à titre de frais d'intérêts. L'intérêt payé en décembre 1996 n'est pas déductible. En effet, l'argent initialement emprunté afin d'acquérir des actions n'était plus utilisé pour gagner un revenu, mais plutôt pour financer l'acquisition d'une voiture pour utilisation personnelle.

Geneviève a acheté pour son propre usage un chalet au montant de 100 000 $ le 1ᵉʳ mars 1996. Elle a contracté un emprunt hypothécaire de 75 000 $. L'intérêt versé sur cet emprunt est-il déductible?

Non, parce que les sommes empruntées ont servi à acquérir un chalet. Les frais d'intérêts n'ont pas été payés sur de l'argent emprunté pour gagner un revenu de placements.

Par contre, si Geneviève a loué son chalet durant l'année et perçu un loyer, les intérêts payables sur le prêt hypothécaire sont déductibles pour la période durant laquelle elle a reçu les loyers.

Luc a emprunté la somme de 30 000 $. Cet emprunt est garanti par une hypothèque sur sa résidence principale. Il a utilisé l'argent emprunté pour acquérir des actions ordinaires de compagnies. Les intérêts payés sur l'emprunt hypothécaire sont-ils déductibles?

Oui. Même si l'emprunt est garanti par une hypothèque sur une résidence principale, les sommes empruntées ont servi à gagner un revenu de placements.

Denis et Sylvie sont mariés. En 1996, le revenu annuel de Sylvie était de 40 000 $ et celui de Denis était de 30 000 $. Était-il avantageux pour Sylvie de consentir un prêt sans intérêt à Denis pour qu'il investisse les sommes empruntées dans le but de gagner des revenus?

Non. Des règles d'attribution sont prévues dans le cas de prêts entre conjoints[2]. Les revenus gagnés et les gains en capital réalisés sur les sommes empruntées sans intérêt ou à un taux inférieur à celui du marché sont attribués au prêteur, de manière à être inclus dans le calcul de son revenu. Toutefois, si le prêt portait intérêt au taux du marché au moment où il a été consenti et que les intérêts sont payés régulièrement chaque année, les règles d'attribution ne s'appliquent pas. Sylvie doit alors déclarer les revenus d'intérêts et Denis peut les déduire.

Conseils. Une façon de contourner les règles d'attribution aurait été de faire en sorte que Sylvie ait payé une portion plus importante des dépenses du ménage. Ainsi, Denis aurait eu plus d'argent disponible pour effectuer des investissements et le niveau de revenus des deux conjoints aurait été plus équilibré.

Les abris fiscaux

Vos investissements dans des abris fiscaux vous permettent de bénéficier de plusieurs déductions spécifiques. (*Voir le chapitre « Le point sur les abris fiscaux ».*)

Les revenus d'intérêts

Vous devez généralement ajouter dans le calcul de votre revenu le montant d'intérêts figurant sur vos relevés T3, T4PS, T5, T600 ou T600C au fédéral ou sur vos relevés 3 ou 16 au provincial[3].

Pour les contrats de placements acquis depuis le 1er janvier 1990, vous devez déclarer le revenu d'intérêts couru sur votre contrat de placements chaque année, même si, dans les faits, vous ne l'avez pas reçu. Vous devez déclarer la portion gagnée jusqu'à la date anniversaire de la signature du contrat de placements. Ainsi, si le 15 janvier 1995 vous avez acquis un contrat de placements prévoyant le paiement d'intérêts à l'expiration d'un terme de trois ans, vous devrez inclure à compter de 1996 la portion d'intérêts courus entre le 15 janvier 1995 et le 15 janvier 1996.

À noter. Pour les contrats acquis avant 1990, vous pouvez déclarer les intérêts seulement aux trois ans.

■ Comment déclarer les intérêts?

Le montant des intérêts à déclarer apparaît au relevé fourni par l'institution financière ou par toute autre personne qui vous verse des intérêts. Si vous détenez un compte bancaire conjointement avec une autre personne (par exemple avec votre conjoint), le relevé envoyé par l'institution financière porte le nom des titulaires du compte. Votre part des intérêts gagnés doit être établie suivant votre part des fonds déposés dans un tel compte.

▼ *Exemple*

En 1996, Michel et Chantal ont ouvert un compte d'épargne conjoint. Michel y a investi la somme de 10 000 $ et Chantal la somme de 5 000 $. Le feuillet T5 indique une somme de 1 200 $ d'intérêts gagnés en 1996. Michel doit inclure dans son revenu la somme de 800 $ (1 200 $ X 10 000 $/15 000 $) et Chantal, la somme de 400 $ (1 200 $ X 5 000 $/15 000 $).

À noter. Les revenus d'intérêts que vous devez inclure dans le calcul de votre revenu diminuent le solde de votre compte des PNCP au fédéral et au provincial. (*Voir le chapitre «Les mesures fiscales particulières ».*)

À noter. Depuis l'année d'imposition 1993, les intérêts peuvent être assujettis à la contribution au Fonds des services de santé. (*Voir le chapitre «Tous les Contribuables».*)

Les revenus de dividendes

Vous devez déclarer, dans le calcul de votre revenu, tous les revenus de dividendes. Ceux provenant de sociétés canadiennes imposables sont sujets au mécanisme de la majoration et du crédit d'impôt pour dividendes[4]. Les sociétés canadiennes imposables sont des sociétés résidant au Canada, qui ne sont pas exonérées du paiement de l'impôt et qui :

▮ ont été constituées au Canada; ou

▮ y ont résidé depuis le 18 juin 1971[5].

Ainsi, vous devez déclarer, en plus du dividende versé, une somme égale au 1/4 de ce dividende. Par exemple, vous devez inclure la somme de 1 250$ dans le calcul de votre revenu à titre de «dividende imposable» si vous recevez un dividende de 1 000$. Par contre, vous bénéficiez d'un crédit d'impôt de 13 1/3% du montant du dividende imposable (ou 16 2/3% du dividende versé) au fédéral et de 8,87% du dividende imposable (ou 11,08% du dividende versé) au provincial.

▼ *Exemple*

Jean a reçu un dividende de 1 000$. Son revenu imposable, pour l'année 1996, est de 50 000$.

	Fédéral	Provincial
Dividende versé	1 000,00$	1 000,00$
Plus : majoration (¼ du dividende versé)	250,00$	250,00$
Dividende imposable	1 250 000$	1 250 00$
Impôt fédéral (26%)	325,00$	
Impôt provincial (24 %)		300 000$
Moins : crédit d'impôt		
▮ fédéral 13⅓ % de 1 250$	166,66$	
▮ provincial 8,8% de 1 250$		110,87$
	158,34$	189,13$

	Fédéral	Provincial
Plus :		
▪ surtaxe fédérale de 3 % sur 158,34$	4,75$	s/o
▪ surtaxe fédérale de 5 % sur l'excédent de 12 500$	0,00$	s/o
▪ surtaxe provinciale de 5% sur l'excédent de 5 000$ d'impôt à payer (5% de 189,13$)	s/o	9,46$
▪ surtaxe provinciale de 5% sur l'excédent de 10 000$ d'impôt à payer (5% de 189,13$)	s/o	9,46$
	163,09$	208,05$
Moins :		
abattement provincial de 16,5% pour les résidents du Québec* (16,5% X 158,34$)	26,13$	s/o
Impôt à payer	136,96$	208,05$
Impôt total à payer	345,01$	

*L'abattement provincial est une réduction de l'impôt fédéral résultant du fait que le revenu des contribuables québécois est également imposé au provincial.

Il est généralement plus avantageux, à rendement égal, de recevoir un revenu de dividendes plutôt qu'un revenu d'intérêts. Ainsi, Jean paie environ 345$ d'impôt sur son revenu de dividendes de 1 000$, soit un taux marginal d'imposition de 34,5%. S'il avait plutôt reçu 1 000$ en revenu d'intérêts, il aurait payé environ 489$ d'impôt, soit un taux marginal d'imposition de 48,89%. Dans les faits, plus votre taux marginal d'imposition est élevé, plus le rendement du dividende après impôt est avantageux.

À noter. Le taux marginal d'imposition correspond au taux d'imposition applicable sur la dernière tranche de votre revenu imposable.

À noter. Le montant des dividendes diminue le solde du compte des PNCP au fédéral et au provincial. (*Voir le chapitre «Les mesures fiscales particulières».*) Pour les dividendes reçus de sociétés canadiennes, il faut tenir compte du dividende majoré. Ainsi, un dividende de 1 000$ diminue de 1 250$ le solde du compte des PNCP d'un particulier.

À noter. Les dividendes peuvent être assujettis à la contribution au Fonds des services de santé. (*Voir le chapitre «Tous les contribuables».*)

La vente des actions

La vente d'actions entraîne généralement un gain ou une perte en capital. Les commissions payées sont prises en considération dans le calcul du gain ou de la perte. Le gain en capital est imposable aux trois quarts. La perte en capital est déductible dans la même proportion mais seulement à l'encontre du gain en capital imposable de l'année.

La portion non déduite peut cependant être reportée contre vos gains en capital des trois années antérieures, en autant que vous n'ayez pas bénéficié de l'exonération cumulative des gains en capital. (*Voir le chapitre «Les mesures fiscales particulières».*) Finalement, tout solde non déduit peut être reporté à l'encontre de tout gain en capital réalisé dans les années futures.

De plus, la perte en capital subie lorsque vous vous départissez d'actions d'une société exploitant une petite entreprise ou parce que cette société a fait faillite, est traitée différemment. En effet, lorsque certaines conditions particulières sont rencontrées, cette perte est considérée comme une perte au titre de placement d'entreprise. Les trois quarts de la perte peuvent alors être déduits contre tous genres de revenus et non seulement à l'encontre des gains en capital imposables.

Conseil. Le recours à un conseiller fiscal est recommandé avant de procéder à la réclamation de ce type de perte.

À noter. Une société exploitant une petite entreprise désigne une société privée sous contrôle canadien dont la valeur marchande de 90% ou plus de l'actif est attribuable à des éléments qui sont :

■ utilisés principalement dans une entreprise exploitée activement au Canada ; ou

■ constitués principalement d'actions ou de dettes d'une autre corporation exploitant une petite entreprise.

▼ *Exemple*

Viviane a acheté des actions de la compagnie ABC pour la somme de 2 000 $ en juillet 1995. En septembre 1996, elle les a revendues pour la somme de 3 000 $ et elle a payé une commission de 125 $ à son courtier. Son gain en capital imposable est de :

Prix de vente	3 000 $
Moins : coût d'acquisition et commission du courtier (2 000 $ + 125 $)	2 125 $
Gain en capital	875 $
Gain en capital imposable (875 $ X 3/4)	656 $

Vous pouvez également réclamer une exonération de 500 000 $ (375 000 $ sur les gains en capital imposables), si vos gains résultent de la vente d'actions admissibles de petite entreprise, de biens agricoles admissibles, de participations dans une société agricole familiale ou d'actions d'une société agricole familiale[6].

À noter. Un traitement fiscal particulier existe lorsque vous avez acheté des actions à rabais de votre employeur. Vous êtes imposé sur la valeur de l'avantage que vous recevez. Cet avantage est généralement égal à l'excédent de la valeur des actions sur le prix payé.

Les gains à la loterie

Les sommes que vous avez gagnées à une loterie en 1996 ne sont pas imposables. Toutefois, les revenus réalisés en investissant ces sommes doivent être inclus dans le calcul de votre revenu.

Documents nécessaires à la préparation des déclarations de revenus

Revenu d'intérêts

En règle générale, le montant des intérêts figurent sur le relevé 3 ou le relevé 16 au provincial et sur les feuillets T600, T600C, T4PS ou T5 au fédéral. Vous devez annexer ces reçus à vos déclarations de revenus. Tous les intérêts doivent être déclarés, même ceux pour lesquels aucun relevé n'est émis, y compris les intérêts reçus en 1996 sur les remboursements d'impôt fédéral et provincial, le cas échéant.

Revenu de dividendes

Habituellement, le montant de dividendes, de dividendes imposables reçus de corporations canadiennes imposables et les différents crédits d'impôt figurent sur les relevés 3 au provincial ou sur les feuillets T4PS ou T5 au fédéral. Ces documents doivent être annexés à vos déclarations de revenus.

Gain en capital

Afin d'établir le montant de gain en capital imposable ou de perte en capital déductible à inclure ou à déduire dans le calcul du revenu, les documents suivants sont nécessaires :

■ tout contrat ou entente établissant ou constatant le produit de vente du bien;

■ toute facture, tout reçu ou autre document faisant preuve des dépenses engagées relativement à la vente du bien (par exemple la commission payable au courtier en valeurs mobilières, les frais d'avocat, de notaire ou d'expert-comptable);

■ tout contrat ou entente établissant le coût d'acquisition du bien;

■ toute facture, tout reçu ou autre document servant à établir les dépenses reliées à l'acquisition;

■ l'inventaire de vos biens ayant fait l'objet du choix de gain en capital réputé au 22 février 1994.

Vous devez conserver ces pièces justificatives dans vos dossiers. Vous n'avez pas à les produire avec vos déclarations de revenus.

Frais de placements

Toutes les factures, tous les reçus et autres documents établissant le montant des frais de placements doivent être conservés.

Conseil. Cependant, lorsque les sommes réclamées sont importantes, il est préférable d'annexer une copie de ces documents à vos déclarations de revenus afin d'éviter tout retard dans l'examen de votre dossier ou dans l'émission de vos avis de cotisation de l'année en question.

À *retenir !*

■ Les intérêts payés sur des emprunts effectués pour acquérir des biens qui produisent des revenus sont déductibles.

■ Il est généralement avantageux d'utiliser vos liquidités pour rembourser votre hypothèque quitte à emprunter de nouveau pour effectuer vos placements. Vous pouvez alors déduire les intérêts sur votre emprunt.

■ Les revenus d'intérêts doivent être déclarés, et ce, même si vous ne les avez pas encaissés.

■ Un revenu de dividendes coûte moins cher en impôt qu'un revenu d'intérêts. Par exemple, un revenu de dividendes de 100 $ équivaut environ à un revenu d'intérêts de 130 $, si vous êtes imposé au taux marginal fédéral-provincial maximum (52,94 %).

■ Le profit réalisé à la vente de vos placements est imposable à titre de gain en capital alors que les pertes subies ne sont déductibles qu'à certaines conditions.

■ RÉFÉRENCES

1. *Loi de l'impôt sur le revenu* (L.I.R.), S.C., 1970-1971-1972, c.63, telle que modifiée, art. 20(1)c); *Loi sur les impôts* (L.I.), L.R.Q., c.1-3, art. 160 et 161
   L'avant-projet de loi du 20 décembre 1991 concernant le traitement fiscal des intérêts prévoit que le nouvel alinéa 20(1)qq) L.I.R. limitera la déduction des intérêts sur les fonds empruntés au montant inclus dans le revenu que l'emprunteur tire des actions privilégiées acquises au moyen des fonds. Autrement dit, une déduction au titre des intérêts sur les fonds empruntés pour une année d'imposition est permise jusqu'à concurrence du total des dividendes reçus sur les actions au cours de l'année (compte tenu de la majoration des dividendes reçus par un particulier).
2. L.I.R., précitée, art. 74.1 et 74.2; L.I., précitée, art. 462.1
3. L.I.R., précitée, art. 12(1)c); L.I., précitée, art. 87 c)
4. L.I.R., précitée, art. 82(1) et 121; L.I., précitée, art. 497(1) et (2) et 767
5. L.I.R., précitée, art. 89(1)a); L.I., précitée, art. 219
6. L.I.R., précitée, art. 110.6(2) et (2.1); L.I., précitée, art. 726.7 et 726.7.1

CHAPITRE *11*

Vos immeubles à revenus

Vous étiez propriétaire d'un immeuble à revenus en 1996? Vous devez déclarer vos revenus nets de location. Quelles dépenses pouvez-vous déduire exactement? Comment procéder?

L'achat d'un immeuble à revenus

Lorsque vous avez acheté un immeuble à revenus, vous avez eu certains frais à régler. Il s'agit, par exemple, des frais pour les services offerts par des professionnels (notaire, avocat, comptable, ingénieur, architecte, etc.) et des autres dépenses reliées à l'achat d'un immeuble, comme le droit sur les mutations immobilières, aussi appelé «taxe de bienvenue».

Ces frais ne peuvent pas être déduits de votre revenu de location. Ils doivent généralement être ajoutés au coût de l'immeuble. La déduction est donc réclamée sous forme d'amortissement.

À noter. Depuis 1990, aucun amortissement ne peut être réclamé au moment de la construction, de la rénovation ou de la transformation d'un immeuble, tant qu'il n'est pas prêt à être «mis en service», c'est-à-dire à la première des dates suivantes :

▌ lorsque le bâtiment est utilisé en totalité, ou presque, aux fins prévues;

▌ lorsque la construction du bâtiment est achevée;

▌ deux ans après l'acquisition du bien[1].

Par contre, vous pouvez déduire de vos revenus de location les frais relatifs à l'hypothèque (obtention, contrat, enregistrement). Jusqu'en 1987, ces frais étaient déductibles dans l'année où ils étaient payés. Ils sont maintenant déductibles sur une période de cinq ans, répartis en cinq parties égales[2].

Conseil. Les frais relatifs à l'hypothèque doivent être clairement indiqués pour que la déduction s'applique.

Les revenus de location

Vous êtes imposé sur votre revenu net de location, c'est-à-dire sur les loyers perçus moins les dépenses de nature courante. Les dépenses de nature capitale sont plutôt amorties chaque année. Les deux niveaux de gouvernement n'utilisent pas les mêmes critères pour déterminer la nature d'une dépense.

À noter. La valeur du temps que vous «avez dépensé» pour la gestion de votre immeuble à revenus ne peut pas être incluse dans les dépenses.

▌ Les dépenses de nature courante

Au fédéral, une dépense est de nature courante si elle a pour but de remettre l'immeuble dans l'état où il était lors de l'achat. Si la dépense doit être répétée périodiquement, c'est un indice qu'il s'agit d'une dépense de nature courante. L'entretien du toit ou la peinture d'une maison sont des dépenses de nature courante.

Au provincial, une dépense est de nature courante si elle sert à l'entretien ou à la rénovation de l'immeuble, c'est-à-dire si elle a pour effet de ramener l'immeuble à la valeur qu'il aurait eue s'il avait été en bon état. Il s'agit de travaux qui visent à redonner à un immeuble son air de jeunesse, comme des travaux de peinture, le remplacement d'une tuyauterie déficiente, de balcons pourris, de portes-fenêtres ou la réfection d'un toit.

Au fédéral et au provincial, les dépenses engagées pour gagner des revenus sont considérées de nature courante et par conséquent déductibles des loyers perçus. Il s'agit principalement des sommes déboursées pour payer les impôts fonciers, les intérêts sur hypothèque, les primes d'assurance et les annonces dans les journaux. De plus, les dépenses d'électricité et de chauffage que vous payez pour vos locataires sont également déductibles.

Si votre revenu de location est inférieur aux dépenses courantes, vous subissez une perte déductible de vos autres revenus (emploi, entreprise, intérêts, dividendes imposables, pension et gains en capital imposables). Il se peut que la déduction de cette perte soit refusée si les ministères du Revenu en viennent à la conclusion que votre activité de location n'est pas rentable, par exemple si vous demandez une telle déduction plus d'une fois et que la perte augmente chaque année ou reste sensiblement la même ou si vous louez à un parent à un prix inférieur à la valeur du logement.

À noter. La perte de location augmente le compte des pertes nettes cumulatives sur placements (PNCP) au fédéral et au provincial, alors que le revenu net de location le diminue. (*Voir le chapitre «Les mesures fiscales particulières».*)

■ Les dépenses de nature capitale

Au fédéral, lorsqu'une dépense est faite une fois pour toutes et qu'elle a pour but d'apporter un avantage durable à l'immeuble, elle est généralement considérée comme une dépense de nature capitale. Par exemple, l'installation d'un puits de lumière est une dépense de nature capitale. C'est aussi le cas d'une dépense qui a pour effet d'améliorer l'immeuble au-delà de son état initial, comme le remplacement d'un revêtement extérieur en bois par de la brique.

Au provincial, une dépense de nature capitale accroît la valeur normale de l'immeuble. Une telle dépense a, par exemple, pour conséquence de :

▪ remplacer un bien disparu après un incendie ;

▪ créer un bien nouveau, comme la construction d'un hangar ;

▪ augmenter la valeur du bien, comme le briquetage d'une maison.

Vous pouvez déduire chaque année une somme visant à compenser la détérioration d'un immeuble, appelé « amortissement ». Les dépenses engagées dans le but d'améliorer l'immeuble et qui ne se qualifient pas comme dépenses de nature courante sont des dépenses de nature capitale. Ces sommes sont ajoutées au coût de l'immeuble et deviennent, par le fait même, amortissables.

La déclaration de renseignements

Afin de contrer le travail au noir dans le domaine des travaux de réparation, d'amélioration, d'entretien et de rénovation des immeubles, le gouvernement provincial a mis en place une mesure de contrôle à l'égard des propriétaires d'immeubles à revenus pour faciliter la vérification des revenus des personnes dont ils rémunèrent les services.

Ainsi, tout propriétaire qui inscrit une somme se rapportant à des revenus ou à des pertes de location relative à un immeuble situé au Québec doit joindre à sa déclaration de revenu le formulaire TP-1086.R.23.12 permettant d'identifier clairement les personnes ayant effectué des travaux de rénovation, d'amélioration, d'entretien ou de réparation sur l'immeuble ou le terrain contigu.

Les travaux visés comprennent tous ceux à l'égard desquels une dépense de nature courante ou capitale est déductible dans le calcul du revenu ou de la perte de location, y compris une dépense relative à l'achat de matériaux dont la pose et l'installation sont incluses dans le prix de vente.

Les renseignements exigés sont les suivants :

▪ le nom et l'adresse de la personne ;

▪ son numéro d'assurance sociale, s'il s'agit d'un particulier ;

▪ son numéro d'inscription à la TVQ, le cas échéant ;

▪ le montant payé.

Le propriétaire n'a pas à fournir ces renseignements si le paiement est fait à l'une des personnes suivantes :

▪ un de ses employés ;

▪ un exploitant d'un réseau de gaz, de télécommunication ou d'électricité ; ou

▪ un organisme gouvernemental.

Le défaut de se conformer à cette nouvelle mesure entraîne, pour le propriétaire de l'immeuble, l'imposition d'une pénalité de 200 $ par personne à l'égard de laquelle un renseignement n'est pas fourni. Toutefois, cette pénalité ne s'applique pas si le propriétaire a raisonnablement tenté d'obtenir les renseignements requis. Par ailleurs, toute personne qui omet de fournir un renseignement requis à la demande du propriétaire d'un immeuble à revenus est passible d'une pénalité de 500 $ par renseignement omis.

L'amortissement

La déduction pour amortissement est une déduction permise chaque année pour compenser la détérioration d'un immeuble du fait de son vieillissement. En jargon fiscal, l'amortissement porte aussi le nom de « déduction pour amortissement » (DPA).

Sommairement, le calcul de l'amortissement se fait en multipliant le coût d'achat d'un immeuble (coût d'achat + dépenses de nature capitale), excluant le terrain, par le taux d'amortissement permis. Ce taux est fixé en fonction de l'année d'acquisition de l'immeuble. Pour un individu, la date d'acquisition dans l'année n'a aucune influence sur le calcul de l'amortissement. Peu importe que l'immeuble ait été acquis le 1er janvier ou le 31 décembre, le calcul est le même.

À noter. Le rôle d'évaluation du service de la taxation de votre municipalité vous permet de connaître la proportion de la valeur de l'immeuble attribuée au terrain. Le montant ainsi déterminé doit être déduit du coût en capital de l'immeuble pour le calcul de l'amortissement.

Le taux s'applique chaque année sur la « fraction non amortie du coût en capital » (FNACC), qui correspond au coût en capital de l'immeuble, moins les sommes déjà réclamées à titre d'amortissement au cours des années antérieures.

▼ Exemple

Paul a acheté un duplex en 1996 pour la somme de 360 000 $, incluant 60 000 $ pour le terrain. Les frais d'achat sont de 6 000 $, dont 1 000 $ attribuables au terrain (6 000 $ X 60 000 $/360 000 $). Le montant maximum pouvant être amorti est donc de 305 000 $ (360 000 $ + 6 000 $ - 60 000 $ - 1 000 $). Le calcul de la déduction pour amortissement s'effectue de la façon suivante :

$$305\ 000\ \$ \times 50\%^* \times 4\% = 6\ 100\ \$$$

*L'amortissement est réduit de moitié dans l'année d'acquisition d'un bien.

Pour les années suivantes, la déduction pour amortissement est calculée ainsi :

Année	FNACC	Taux	Montant alloué
1997	298 900$ (305 000$ - 6 100$)	X 4% =	11 956$
1998	286 944$ (298 900$ - 11 956$)	X 4% =	11 478$
1999	275 466$ (286 944$ - 11 478$)	X 4% =	11 019$

et ainsi de suite.

Les limites à respecter

Une fois les dépenses courantes déduites, vous ne pouvez pas déduire l'amortissement de manière à créer ou à augmenter une perte de location.

▼ Exemple

Pierre a gagné des revenus de location de 10 000$ en 1996. Ces revenus proviennent de la location d'un duplex. Les dépenses déductibles s'élèvent à 6 000$ et l'amortissement auquel il aurait normalement droit est de 9 000$.

Revenus de location   10 000$

Moins : dépenses courantes   6 000$

Revenu net avant amortissement   4 000$

Pierre ne peut donc réclamer que 4 000$ à titre d'amortissement et ainsi établir son revenu net à 0$.

LE TAUX D'AMORTISSEMENT PERMIS			
Date d'acquisition	**Type de construction**	**Catégorie**	**Taux**
Avant 1979	brique bois	3 6	5% 10%
Entre le 1er janvier 1979 et le 31 décembre 1987	tous les types de construction	3	5%
Depuis le 1er janvier 1988*	tous les types de construction	1	4%
*Si une entente écrite existait le 17 juin 1987, par exemple si une offre d'achat était acceptée à cette date, le taux d'amortissement est de 5%.			

Les travaux de rénovation

Au fédéral, les travaux de rénovation sont généralement des dépenses de nature capitale. Ces dépenses augmentent le coût en capital de l'immeuble et peuvent donc être amorties. Le taux d'amortissement est généralement le même que celui applicable à l'immeuble. Comme au moment de l'achat d'un immeuble, l'amortissement est réduit de moitié la première année.

À noter. Si l'immeuble a été acquis avant le 1er janvier 1988, le taux applicable à la déduction pour amortissement sur les ajouts ou les rénovations peut être de 4 % ou de 5 %, selon le montant du débours effectué. Le taux d'amortissement est de 5 % de la moins élevée des sommes suivantes :

■ 500 000 $; ou
■ 25 % du coût en capital de l'immeuble.

Il est de 4 % sur l'excédent.

Si l'immeuble a été acquis après 1987, le taux d'amortissement est de 4 % sur les ajouts ou les rénovations faits en 1988 et après.

▼ Exemple

Louise a acquis un immeuble en 1996 pour la somme de 165 000 $, excluant la valeur du terrain. Elle a engagé des frais de rénovation de 4 000 $. Elle peut donc réclamer une déduction pour amortissement de 3 380 $.

Amortissement sur l'immeuble
165 000 $ X 50 %* X 4 % =   3 300 $
Plus : amortissement sur les rénovations

4 000 $ X 50 %* X 4 % =   80 $
                         3 380 $

*L'amortissement est réduit de moitié la première année.

En 1997, le coût en capital de l'immeuble sera de 169 000 $, (165 000 $ + 4 000 $). Si Louise a pu réclamer le montant maximum d'amortissement permis en 1996, la FNACC sera de 165 620 $ (169 000 $ - 3 380 $).

À noter. Depuis 1990, aucun amortissement ne peut être réclamé au moment de la construction, de la rénovation ou de la transformation d'un immeuble, tant qu'il n'est pas prêt à être « mis en service ».

Au provincial, tous les genres de travaux de rénovation sont généralement considérés comme des dépenses de nature courante, déductibles des revenus de location.

L'occupation d'un logement par un propriétaire

Si vous habitiez un des logements de votre immeuble à revenus, le coût en capital amortissable est réduit en proportion de l'espace que vous occupiez.

▼ *Exemple*

Danielle a acheté en 1996 un duplex pour la somme de 150 000$, excluant le prix du terrain. Elle occupe le rez-de-chaussée. Elle doit calculer son amortissement sur la somme de 75 000$ (½ de 150 000$).

Quant aux dépenses de nature courante, seules celles engagées pour les logements loués sont entièrement déductibles. Celles se rapportant à votre logement sont des dépenses personnelles et ne peuvent pas être déduites. Les dépenses de nature courante qui ne peuvent être attribuées à un logement en particulier, par exemple les taxes foncières et l'assurance, sont déductibles au prorata de l'espace occupé par les locataires.

Les documents nécessaires

Au fédéral, vous devez remplir et joindre à votre déclaration de revenus le formulaire T776. Au provincial, vous pouvez compléter l'Annexe D. Les reçus, factures ou autres documents se rapportant aux dépenses effectuées en 1996 n'ont pas à être annexés à vos déclarations de revenus. Ils doivent cependant être conservés en cas d'une éventuelle vérification par les autorités fiscales. Par ailleurs, le propriétaire d'un immeuble locatif doit remplir et remettre à ses locataires un relevé 4, intitulé «Certificat à l'égard des impôts fonciers» au plus tard le 28 février 1997.

La vente d'un immeuble à revenus

La vente d'un immeuble à revenus peut entraîner un gain en capital si le prix de vente était supérieur au coût en capital, et une perte en capital dans le cas contraire. Toutefois, aucune perte en capital n'est accordée sur un bien amortissable. Seule la perte en capital attribuable au terrain, s'il y a lieu, est reconnue. Le gain en capital est imposable aux 3/4. La perte admissible est déductible dans la même proportion.

La vente de votre immeuble à revenus peut également entraîner une «récupération d'amortissement». En effet, l'amortissement est accordé pour compenser la détérioration d'un immeuble. Or, le prix obtenu lors de la vente démontre généralement qu'au contraire, l'immeuble a pris de la valeur. La récupération d'amortissement vise à imposer les dépenses d'amortissement réclamées en trop dans les années précédant la vente.

▼ *Exemple*

Jacques a acheté un immeuble pour la somme de 200 000 $ en décembre 1988. Il a réclamé au total 15 000 $ à titre de déduction pour amortissement. En 1996, la FNACC était donc de 185 000 $. En février de cette même année, Jacques a vendu l'immeuble au prix de 275 000 $. Au moment de la vente, les loyers perçus se chiffraient à 3 000 $ et les dépenses de nature courante à 2 500 $. Aucun choix n'a été fait relativement au gain en capital couru au 22 février 1994.

Revenu net de location

Loyers perçus	3 000 $
Moins : dépenses de nature courante	2 500 $
Revenu net de location	500 $

Gain en capital imposable

Prix de vente	275 000 $
Moins : coût en capital	200 000 $
gain en capital	75 000 $
Gain en capital imposable (75 000 $ X ¾)	56 250 $

Récupération d'amortissement

Moindre de : coût en capital	200 000 $	
prix de vente	275 000 $	200 000 $
Moins : FNACC		185 000 $
Récupération d'amortissement		15 000 $

Jacques doit donc déclarer en 1996 un revenu net de location de 500 $, un gain en capital imposable de 56 250 $ et une récupération d'amortissement de 15 000 $.

Vous ne pouvez pas déduire de dépense d'amortissement dans l'année de la vente, puisqu'il est nécessaire d'être propriétaire d'un immeuble à la fin de l'année pour qu'une telle dépense soit réclamée.

Si vous occupiez une partie de l'immeuble, vous bénéficiez d'une exemption de gain en capital sur le profit attribuable à cette partie pour les années pendant lesquelles vous l'habitiez à titre de résidence principale. (*Voir le chapitre «Vos résidences»*.) Par exemple, vous avez vendu un duplex dont vous avez occupé le rez-de-chaussée depuis l'achat. Vous avez réalisé un profit de 20 000$. Vous êtes imposé sur un gain en capital de 10 000$ (20 000$ X 50%).

À retenir!

- Les dépenses relatives à l'achat d'un immeuble ne sont pas déductibles. Elles sont ajoutées au coût de l'immeuble.

- Les pertes de location peuvent être utilisées pour réduire vos revenus de toutes sources.

- La déduction pour amortissement vous permet de réclamer chaque année un pourcentage du coût de l'immeuble (exluant le terrain).

- Il n'est habituellement pas permis de créer ou d'augmenter une perte de location en réclamant une déduction pour amortissement.

- Si vous habitez une partie de l'immeuble loué, seules les dépenses ayant trait à la portion louée sont déductibles, généralement au prorata de l'espace occupé par les locataires.

- Les pertes de location augmentent votre compte de pertes nettes cumulatives sur placements (PNCP) et peuvent ainsi réduire votre portion de gain en capital admissible à l'exonération des gains en capital de 500 000$.

- La vente d'un immeuble à revenus pour lequel des déductions pour amortissement ont été réclamées peut entraîner une récupération d'amortissement. Celle-ci vise à imposer les dépenses d'amortissement réclamées en trop dans les années précédant la vente.

■ RÉFÉRENCES

1. *Loi de l'impôt sur le revenu* (L.I.R.), S.C., 1970-1971-1972, c.63, telle que modifiée, art. 13(28)
2. L.I.R., précitée, art. 20(1)e); *Loi sur les impôts* (L.I.), L.R.Q., c.1-3, art. 176

CHAPITRE *12*

Vos résidences

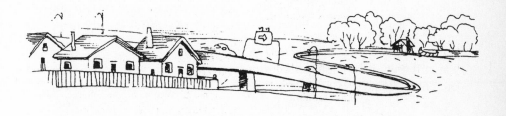

L a vente ou la location de vos résidences principale et secondaire peut avoir un effet sur votre impôt à payer. Qu'en est-il au juste?

La location d'une résidence

La location de votre résidence principale ou secondaire entraîne des conséquences fiscales en raison de la «disposition présumée» qui en résulte et des revenus de location que vous recevez.

■ La disposition présumée

Si vous avez cessé d'occuper votre résidence pour la louer, vous êtes présumé en avoir disposé, comme si vous l'aviez vendue, même si dans les faits vous en êtes toujours propriétaire[1]. Le prix de cette «vente» réputée est égal à la valeur marchande de votre résidence, au moment du changement d'usage. Vous êtes également présumé l'avoir acquise de nouveau au même moment pour le même prix.

Comme la résidence sert dorénavant à gagner un revenu, vous pouvez déduire l'amortissement de vos revenus de location. (*Voir le chapitre « Vos immeubles à revenus ».*)

Par contre, cette disposition présumée peut entraîner un gain en capital imposable. Dans le cas d'une résidence principale, ce gain peut être totalement exempté d'impôt si l'immeuble a toujours été utilisé comme résidence principale.

Vous pouvez cependant décider d'éviter ces conséquences fiscales. Pour ce faire, vous devez produire un choix par un avis écrit à cet effet dans vos déclarations de revenus de l'année du changement d'usage. Dès lors, vous êtes réputé ne pas avoir changé l'usage de votre résidence. Vous reportez ainsi la réalisation du gain en capital, s'il y a lieu, à la date à laquelle vous disposerez vraiment de cette résidence.

Par ailleurs, vous pouvez continuer de désigner votre résidence comme résidence principale même si vous ne l'habitez plus, et ce, pendant une période maximale de quatre ans[2]. Vous pouvez alors profiter de l'exemption de gain en capital pour résidence principale pour ces années. Vous ne pouvez cependant pas réclamer l'amortissement dans le calcul de votre revenu de location si vous faites un tel choix. Vous devez produire le choix par un avis écrit à cet effet dans vos déclarations de revenus de l'année où un choix est exercé.

À noter. La limite de quatre ans ne s'applique pas si vous deviez vivre ailleurs qu'à votre résidence principale en raison de votre emploi ou de celui de votre conjoint[3]. Il est alors nécessaire que vous retourniez habiter votre résidence au plus tard dans l'année suivant celle durant laquelle cet emploi se termine.

■ Le revenu net de location

Le revenu net de location doit être inclus dans le calcul de votre revenu. Le revenu net de location est calculé en déduisant les dépenses courantes des loyers perçus. (*Voir le chapitre « Vos immeubles à revenus ».*) Si vous ne produisez pas le choix pour éviter la disposition présumée, vous pouvez également déduire l'amortissement permis. (*Voir le chapitre « Vos immeubles à revenus ».*)

Si votre revenu de location est inférieur aux dépenses courantes, vous subissez une perte déductible de vos autres revenus.

À noter. La perte de location augmente le compte des pertes nettes cumulatives sur placements (PNCP) au fédéral et au provincial alors que le revenu net de location le diminue. (*Voir le chapitre «Vos immeubles à revenus ».*)

La location d'une chambre

Le particulier qui louait une ou deux chambres de sa résidence n'est pas présumé avoir disposé de l'espace loué si :

■ cet espace ne représentait pas une partie importante de la maison ;

■ la location des chambres n'a pas nécessité de réparations importantes à la résidence ;

■ le propriétaire n'a pas demandé de déduction pour amortissement pour l'espace loué.

Le propriétaire est alors imposé sur ses revenus de location. Il peut cependant déduire une partie raisonnable des dépenses attribuables à l'espace loué.

La vente de votre résidence principale

Le gain en capital résultant de la vente d'une résidence principale est imposable aux ¾. Il peut cependant être exonéré d'impôt en totalité ou en partie. En effet, ce gain en capital est admissible à l'exemption de gain en capital pour résidence principale, laquelle varie en fonction du nombre d'années pendant lesquelles la résidence a été utilisée comme résidence principale.

À noter. Cette exemption n'a rien à voir avec l'exonération cumulative des gains en capital dont vous pouviez vous prévaloir jusqu'en 1994.

La résidence principale désigne un logement ou une action d'une coopérative d'habitation donnant le droit d'habiter un logement[4]. Vous devez être propriétaire du logement, seul ou conjointement avec une autre personne. Votre conjoint, votre enfant ou vous-même devez avoir généralement habité la résidence dans l'année.

À noter. La superficie du terrain sur lequel est située la résidence principale excédant un demi-hectare (environ 1 acre ou 43 560 pieds carrés) n'est pas considérée comme faisant partie de la résidence principale, sauf si vous pouvez démontrer que cet espace de terrain est nécessaire à l'usage de votre résidence. Ce peut être le cas, par exemple, si la dimension ou le caractère de la maison ou son emplacement sur le lot requiert une superficie excédant un demi-hectare afin d'en permettre la pleine jouissance.

Le gain en capital réalisé avant 1971 n'est pas imposé. Le gain en capital réalisé après 1971 n'est pas imposé si la résidence servait de résidence principale. Afin de déterminer le gain en capital imposable si la résidence n'a pas toujours servi de résidence principale, l'exemption est calculée de la façon suivante :

$$\frac{1 + \text{le nombre d'années d'imposition après 1971 pendant lesquelles la résidence était désignée comme résidence principale}}{\text{nombre d'années d'imposition après 1971 pendant lesquelles vous étiez propriétaire de la résidence[5]}} \quad X \quad \begin{array}{l}\text{gain en capital réalisé}\\ \text{lors de la vente}\end{array}$$

À noter. On ajoute « un » au nombre d'années pendant lesquelles la résidence était désignée comme résidence principale pour que vous puissiez bénéficier de l'exemption de gain en capital si vous êtes propriétaire de deux résidences principales dans la même année. C'est le cas lorsque vous vendez une résidence et en acquérez une autre la même année.

Toute perte en capital que vous pourriez subir en disposant de votre résidence principale n'est pas déductible[6].

À noter. Une seule résidence principale par famille (conjoint et enfants non mariés âgés de moins de 18 ans) est admissible pour l'exemption à l'égard des résidences principales. Le conjoint est également, à certaines conditions, le conjoint de fait. (*Voir le « Lexique fiscal ».*)

Les formulaires suivants vous permettent d'effectuer le calcul du gain en capital sur une résidence principale :

▌ au fédéral, le formulaire T2091 — Désignation d'une résidence principale ;

▌ au provincial, le formulaire TP-274 — Désignation d'une résidence principale.

Attention ! Au fédéral, vous n'avez à produire le formulaire avec votre déclaration de revenus que si vous avez réalisé un gain en capital lors de la vente de votre résidence. Au provincial, la production du formulaire est obligatoire dans tous les cas.

■ La résidence principale louée

Si vous avez vendu votre résidence principale après l'avoir louée sans avoir effectué de choix, les conséquences fiscales sont les mêmes que si vous vendiez un immeuble à revenus. (*Voir le chapitre « Vos immeubles à revenus* ».) Si vous avez effectué le choix prescrit, les conséquences fiscales sont les mêmes que si vous vendiez votre résidence principale. La vente peut entraîner un gain en capital. Vous bénéficiez de l'exemption de gain en capital pour résidence principale pour les années pendant lesquelles la résidence a servi de résidence principale ou a été désignée comme telle.

▼ *Exemple*

Jean a acheté une maison pour la somme de 95 000 $ en août 1984. Il l'a occupée comme résidence principale jusqu'en 1988. Il a alors commencé à la louer, jusqu'au moment de la vente en février 1996. Au moment de la location, il a effectué le choix prescrit pour éviter les conséquences fiscales. De plus, il a désigné la résidence comme résidence principale pendant quatre ans, c'est-à-dire jusqu'en 1991.

Gain en capital

Prix de vente	160 000 $
Moins : coût d'acquisition 95 000 $	
plus : frais de vente 5 000$	100 000 $
Gain en capital	60 000 $
Moins : exemption	
$\dfrac{1 + 8}{12}$ X 60 000$	45 000 $
Gain en capital	15 000 $
Gain en capital imposable (¾ X 15 000 $)	11 250 $

Ce gain en capital, attribuable aux années pendant lesquelles la résidence n'était pas désignée comme résidence principale, aurait pu, en partie, être admissible à l'exonération cumulative des gains en capital si Jean en avait fait le choix lors de la production de sa déclaration de revenu 1994. Jean aurait donc évité de payer de l'impôt sur son gain en capital réalisé avant mars 1992, s'il n'avait pas entièrement utilisé son exonération cumulative et s'il n'avait pas de pertes nettes cumulatives sur placements (PNCP).

À noter. Le gain en capital réalisé sur la vente de votre résidence principale ou le fait de réclamer l'exemption de gain en capital pour résidence principale n'a aucun impact sur le calcul du compte des PNCP au fédéral et au provincial. (*Voir le chapitre « Les mesures fiscales particulières ».*)

La vente de votre chalet

La vente de votre chalet entraîne un gain ou une perte en capital si vous l'aviez acheté pour faire un investissement à long terme, ce qui est généralement le cas. Si vous aviez plutôt acheté votre chalet dans un but purement spéculatif, c'est-à-dire pour faire un profit rapidement, la vente de votre chalet entraîne un revenu ou une perte d'entreprise.

Conseil. Si le gain en capital réalisé à la vente de votre résidence secondaire est plus élevé que le gain accumulé sur votre résidence principale, il peut être avantageux de désigner la résidence secondaire comme résidence principale pour bénéficier de l'exemption de gain en capital sur résidence principale. Il est fortement recommandé de consulter un conseiller fiscal avant d'effectuer un tel choix.

Le gain en capital est imposé aux 3/4. La perte en capital est déductible aux 3/4 et ne peut être déductible que contre un gain en capital réalisé lors de la vente d'un autre bien personnel désigné.

À noter. Un bien personnel désigné est un bien utilisé principalement pour votre usage personnel ou celui de votre famille et qui augmente généralement en valeur. Ces biens comprennent, entre autres, les voitures de collection, les meubles antiques, les résidences secondaires telles que le chalet et la maison de campagne, les œuvres d'art, les livres rares et les collections de timbres.

■ Le chalet loué

Si vous avez vendu votre chalet après l'avoir loué sans avoir effectué de choix, les conséquences fiscales sont les mêmes que si vous vendiez un immeuble à revenus. (*Voir à ce sujet le chapitre «Vos immeubles à revenus».*) Si vous avez effectué le choix prescrit, la vente peut alors entraîner un gain en capital admissible à l'exonération cumulative des gains en capital, pour la portion réalisée avant mars 1992.

À *retenir !*

- Le gain en capital réalisé lors de la vente de votre résidence principale n'est généralement pas imposable.

- Le fait de commencer à louer vos résidences principale ou secondaire peut entraîner la réalisation d'un gain en capital. Il est cependant possible de reporter l'impact fiscal d'un tel changement d'usage.

■ RÉFÉRENCES

1. *Loi de l'impôt sur le revenu* (LIR.), S.C., 1970-1971-1972, c.63, telle que modifiée, art. 45(2); *Loi sur les impôts* (LI.), L.R.Q., c.1-3, art. 284
2. L.I.R., précitée, art. 54g); L.I., précitée, art. 285
3. L.I.R., précitée, art. 54.1; L.I., précitée, art. 286
4. L.I.R., précitée, art. 54g); L.I., précitée, art. 274
5. L.I.R., précitée, art. 40(2)b); L.I., précitée, art. 271
6. L.I.R., précitée, art. 40(2)g)iii)

Les «nouveautés fiscales 1996»

Les budgets fédéraux des 27 février 1995 et 5 mars 1996, les budgets provinciaux des 9 mai 1995 et 9 mai 1996 de même que certaines déclarations ministérielles modifient les règles d'imposition pour l'année 1996.

Les abris fiscaux

■ Au fédéral et au provincial

▎ Le plafond des contributions à un régime enregistré d'épargne-retraite (REÉR) et à un régime de pension agréé (RPA) à cotisations déterminées est réduit à 13 500 $ pour les années 1996 à 2002. Il passera à 14 500 $ en 2003 et 15 500 $ en 2004. Par la suite, il sera indexé annuellement.

▌ Le moment auquel un contribuable doit obligatoirement résilier son REÉR passe de la fin de l'année au cours de laquelle il atteint l'âge de 71 ans à la fin de l'année au cours de laquelle il atteint l'âge de 69 ans. Dès règles particulières s'appliquent toutefois aux contribuables âgés de 69 ans ou 70 ans à la fin de 1996.

À noter. Les règles d'échéance des Régimes de pension agréé (RPA) et des régimes de participation différée aux bénéfices (RPDB) sont également modifiées.

▌ La limite de sept ans concernant le report des déductions inutilisées d'un contribuable au titre des REÉR pour une année est éliminée.

▌ Le crédit maximal pour l'achat d'actions du Fonds de solidarité des travailleurs du Québec ou du Fonds de développement de la Confédération des syndicats nationaux pour la coopération et l'emploi est réduit au moins élevé de 15 % du coût des actions ou 525 $. Des règles particulières s'appliquent toutefois pour l'année d'imposition 1996.

▌ Il n'est plus possible de transférer dans un REÉR, en franchise d'impôt, les montants reçus à titre d'allocation de retraite pour les années de service après 1995. Toutefois, le transfert est toujours possible en ce qui concerne les montants reçus à titre d'allocation de retraite pour les années de service avant 1996. Les limites quant au montant du transfert demeurent inchangées.

▌ La déduction pour amortissement (DPA) accordée pour un investissement dans des productions cinématographiques portant visa (films certifiés) est remplacée par un crédit d'impôt remboursable accordé aux sociétés canadiennes admissibles imposables relativement à leurs productions cinématographiques. La DPA continue toutefois de s'appliquer aux productions canadiennes acquises avant 1996 et dont les principales prises de vues ont été terminées avant le 1er mars 1996, sauf pour les productions cinématographiques acquises en 1995 au titre desquelles le nouveau crédit a été demandé par les sociétés admissibles.

■ Au provincial seulement

Le mécanisme de transfert aux particuliers, dans le cadre d'une SPEQ ou d'un RÉA, du crédit d'impôts remboursable pour les productions cinématographiques québécoises est aboli.

▌ Les incitatifs fiscaux reliés aux actions accréditives qui devaient prendre fin en 1996 sont prolongés jusqu'à la fin de 1998. Les actions accréditives acquises avant le 1er janvier 1999 continueront de donner droit à l'exemption du gain en capital.

Les déclarations de revenus

■ Au fédéral et au provincial

▌ L'âge maximal des enfants pour lesquels la déduction pour frais de garde d'enfant (au fédéral) et le crédit pour frais de garde (au provincial) peuvent être demandés passe de moins 14 ans à moins de 16 ans. D'autre part, il est maintenant possible pour un chef de famille monoparentale qui poursuit des études à temps plein ou pour un couple dont les conjoints poursuivent simultanément des études à temps plein de bénéficier de la déduction pour frais de garde d'enfant (au fédéral) et du crédit pour frais de garde (au provincial). La déduction et le crédit peuvent s'appliquer à toute source de revenu. Les frais de garde admissibles sont toutefois limités à 150$, pour chaque enfant de moins de 7 ans ou de 7 ans et plus atteint d'une déficience physique ou mentale grave et prolongée, et à 90 $, pour chacun des autres enfants plus âgés admissibles, multiplié par le nombre de semaines pendant lesquelles le contribuable a fréquenté un établissement d'enseignement. Enfin, la fréquentation d'un établissement d'enseignement secondaire est dorénavant reconnue aux fins de la déduction pour frais de garde d'enfant (au fédéral) et du crédit pour frais de garde (au provincial).

■ Au fédéral seulement

▌ Le montant mensuel sur lequel le crédit d'impôt pour études est calculé passe de 80$ à 100$. D'autre part, le montant maximum de crédit d'impôt pour frais de scolarité et pour études qu'un étudiant peut transférer à son conjoint ou à un parent passe de 680 $ à 850$.

▌ Le crédit d'impôt maximum pour personne à charge est haussé de 270 $ à 400 $. D'autre part, le revenu au-delà duquel le crédit commence à décroître est porté à 4 103 $ (indexé annuellement après 1996).

▪ Le plafond du revenu annuel applicable au total des dons de bienfaisance passe à 100% du revenu du donateur pour l'année de son décès et pour l'année précédente. Pour les autres années, il est porté au total des taux suivants :

   ▪ 50% du revenu net du donateur;
   ▪ 50% du montant des gains en capital imposables qui est inclus dans le revenu du donateur pour l'année et qui découle de dons de biens en immobilisation ayant pris de la valeur, par exemple, des actions, des obligations ou un terrain.

▪ À compter de juillet 1997, pour le calcul de la prestation fiscale pour enfants, le supplément du revenu gagné équivaudra à 12% du revenu gagné du contribuable et de son conjoint excédant 3 750$, jusqu'à concurrence de 750 $. Il sera réduit à 15 % du revenu du contribuable et de son conjoint excédant 20 921$.

▪ Au provincial seulement

▪ Depuis le 20 mai 1993, la déduction pour frais de représentation accordée à un contribuable qui exploite une entreprise est limitée à 50% du montant des dépenses à ce titre. Pour un exercice financier débutant après le 9 mai 1996, la déduction est de plus limitée à 1% du chiffre d'affaires du contribuable pour l'année. Toutefois, les dépenses relatives au coût d'un abonnement à des concerts d'un orchestre symphonique ou d'un ensemble de musique classique ou de jazz, à des représentations d'un opéra, à des spectacles de danse et à des pièces de théâtre sont soustraites de l'application de la limite de 50% et du plafond annuel de 1%, à la condition toutefois que ces événements aient lieu au Québec.

À noter. À compter de 1997, des règles semblables s'appliqueront à la déduction relative aux frais de représentation d'un employé vendeur à commission.

▪ Pour un exercice financier débutant après le 9 mai 1996, dans le cas d'un travailleur autonome, la déduction des dépenses relatives à un bureau à domicile est limitée à 50% des dépenses qui seraient autrement déductibles. Cette limite s'applique également au loyer afférent à un bureau au domicile d'un particulier qui est membre d'une société et qui serait autrement déductible.

■ Il est maintenant possible pour un contribuable qui réclame le crédit pour frais de garde de ne plus tenir compte du revenu de son conjoint lorsque ce dernier exploite une entreprise. Les frais de garde admissibles sont toutefois limités à 150 $, pour chaque enfant de moins de 7 ans ou de 7 ans et plus atteint d'une déficience physique ou mentale grave et prolongée, et à 90$, pour chacun des autres enfants plus âgés admissibles, multiplié par le nombre de semaines pendant lesquelles le conjoint exploite son entreprise.

■ Les montants donnant droit au crédit pour personne vivant seule, au crédit en raison d'âge et au crédit pour revenu de retraite sont dorénavant réduits si le revenu net du contribuable excède 26 000 $.

■ Un particulier qui n'a aucun impôt à payer en raison du report d'une perte subie antérieurement doit obligatoirement produire une déclaration de revenus.

Liste des abréviations utilisées dans les références

al.	Alinéa
art.	Article
c.	Chapitre (pour les lois)
L.R.Q.	Lois refondues du Québec
par.	Paragraphe
r.	Règlement
S.C.	Statuts annuels du Canada

La transmission électronique des déclarations de revenus (TED)

Depuis l'année d'imposition 1992, Revenu Canada vous propose une nouvelle façon de produire votre déclaration de revenus fédérale. Vous pouvez la transmettre par le biais d'un système automatisé utilisant une ligne de communication. Ce service est offert par les déclarants par voie électronique affichant le symbole TED.

Jusqu'à 95 % des déclarations de revenus des particuliers peuvent être transmises par voie électronique. Toutefois, les déclarations faisant l'objet de situations fiscales complexes ne peuvent pas être transmises de cette façon.

Le système TED vous permet de bénéficier de nombreux avantages, notamment :

La confirmation au déclarant par Revenu Canada de l'acceptation de votre déclaration de revenus ;

- le traitement plus rapide de votre déclaration ;
- l'amélioration du service et la réduction du nombre d'erreurs ;
- l'envoi plus rapide de votre remboursement ;
- le virement automatique de votre remboursement ;
- la réduction des frais de poste, de manutention et de traitement ;
- la réduction de la nécessité de produire une déclaration sur papier.

Pour plus de renseignements, vous pouvez communiquer avec le coordonnateur TED du bureau de district de Revenu Canada de votre région.

Depuis l'année d'imposition 1994, Revenu Québec offre un service semblable à celui offert par Revenu Canada pour la production de votre déclaration de revenus provinciale. En 1994, ce service se limitait aux contribuables qui avaient des remboursements d'impôt. Depuis 1995, ce service est également offert aux contribuables ayant un montant d'impôt à payer.

Carnet d'adresses

REVENU CANADA

LES BUREAUX DE DISTRICT D'IMPÔT

Chicoutimi
100, rue Lafontaine
Bureau 211
Chicoutimi (Québec)
G7H 6X2
Tél. : (418) 698-5580
1-800-463-4421 (sans frais)

Laval
3131, boul. Saint-Martin Ouest
Laval (Québec)
H7T 2A7
Tél. : (514) 956-9101
1-800-363-2218 (sans frais)

Longueuil
1000, rue de Sérigny
Longueuil (Québec)
J4K 5J7
Tél. : (514) 283-5300
1-800-361-2808 (sans frais)

Montréal
305, boul. René-Lévesque Ouest
Montréal (Québec)
H2Z 1A6
Tél. : (514) 283-5300
1-800-361-2808 (sans frais)

Ottawa
(desservant l'Outaouais)
360, rue Lisgar
Ottawa (Ontario)
K1A 0L9
Tél. : (613) 598-2298
1-800-267-8440 (sans frais)
1-800-267-4735 (sans frais)

Québec
165, rue de la Pointe-aux-Lièvres Sud
Québec (Québec)
G1K 7L3
Tél. : (418) 648-3180
1-800-463-4421 (sans frais)

Rimouski
320, rue Saint-Germain Est
4ᵉ étage
Rimouski (Québec)
G5L 1C2
Tél. : (418) 722-3111
1-800-463-4421 (sans frais)

Rouyn-Noranda
44, avenue du Lac
Rouyn-Noranda (Québec)
J9X 6Z9
Tél. : (819) 764-5171
1-800-567-6403 (sans frais)
1-800-567-6428 (sans frais)

Sherbrooke
50, Place de la Cité
C.P. 1300
Sherbrooke (Québec)
J1H 5L8
Tél. : (819) 564-5888
1-800-567-7360 (sans frais)

Longueuil
1000, rue de Sérigny
Longueuil (Québec)
J4K 5J7
Tél. : (514) 283-5300
1-800-361-2808 (sans frais)
1-800-363-2218 (sans frais)

Trois-Rivières
25, rue des Forges
Bureau 211
Trois-Rivières (Québec)
G9A 2G4
Tél. : (819) 373-2723
1-800-567-9325 (sans frais)

LE BUREAU INTERNATIONAL D'IMPÔT

2540, rue Lancaster
Ottawa (Ontario)
K1A 1A8
Tél. : (613) 954-1368
1-800-267-5177 (sans frais)

LES CENTRES FISCAUX

Centre fiscal de Jonquière
2251, boul. de la Centrale
Jonquière (Québec)
G7S 5J1
Tél. : (418) 548-9171
1-800-263-1485 (sans frais)

Centre fiscal de Shawinigan-Sud
4695, 12e Avenue
Shawinigan Sud (Québec)
G9N 7S6
Tél. : (819) 537-9381
1-800-263-4888 (sans frais)

Centre fiscal d'Ottawa
875, Chemin Héron
Ottawa (Ontario)
K1A 1A2
Tél. : (613) 941-4444
1-800-667-0445 (sans frais)

Service offert aux malentendants
Avec appareil de télécommunication
pour sourds (ATS)
Tél. : 1-800-665-0354 (sans frais)

Service offert aux malvoyants
Pour commande de publications sur
bande sonore, en braille ou en gros
caractères
Tél. : 1-800-267-1267 (sans frais)

REVENU QUÉBEC

LES BUREAUX DU MINISTÈRE DU REVENU DU QUÉBEC

Brossard
1, rue de la Place-du-Comerce
3e étage
Brossard (Québec)
J4W 2Z7

Hull
Place-du-Centre
200, promenade du Portage 2e étage
Hull (Québec) J8X 4B7
Tél. : (819) 770-1768
1-800-567-9634 (sans frais)

Jonquière
2154, rue Deschênes,
Jonquière (Québec)
G7S 2A9
Tél. : (418) 548-4322
1-800-463-6513 (sans frais)

Laval
705, chemin du Trait-Carré
Laval (Québec)
H7N 1B3
Tél. : (514) 864-6299
1-800-267-6299 (sans frais)

Montréal
Complexe Desjardins
C.P. 3000
Succursale Desjardins
Montréal (Québec)
H5B 1A4
Tél. : (514) 864-6299
1-800-267-6299 (sans frais)

Québec
265A, rue de la Couronne
Québec (Québec)
G1K 6E1
Tél. : (418) 659-6299
1-800-267-6299 (sans frais)

Rimouski
212, avenue Belzile
Bureau 250
Rimouski (Québec)
G5L 3C3
Tél. : (418) 727-3572
1-800-463-0715 (sans frais)

Rouyn-Noranda
75, rue Monseigneur-Tessier Ouest
Rouyn-Noranda (Québec)
J9X 2S5
Tél. : (819) 764-6761
1-800-567-6491 (sans frais)

Sainte-Foy
3800, rue de Marly
Sainte-Foy (Québec)
G1X 4A5
Tél. : (418) 659-6299
1-800-267-6299 (sans frais)

Sept-Îles
456, rue Arnaud
Sept-Îles (Québec)
G4R 3B1
Tél. : (418) 968-0203
1-800-463-1703 (sans frais)

Sherbrooke
2665, rue King Ouest
7e étage
Sherbrooke (Québec)
J1L 2H5
Tél. : (819) 563-3034
1-800-567-3531 (sans frais)

Sorel, Saint-Hyacinthe
101, rue du Roi
Sorel (Québec)
J3P 4N1
Tél. : 1-800-267-6299 (sans frais)

Trois-Rivières
225, rue des Forges
Bureau 400
Trois-Rivières (Québec)
G9A 2G7
Tél. : (819) 379-5360
1-800-567-9385 (sans frais)

Toronto
20 Queen Street West
Suite 1504, P.O. Box 13
Toronto (Ontario)
M5H 3S3
Tél. : (416) 977-2298
1-800-567-2295

Service offert aux malentendants
Avec appareil de télécommunication
pour sourds (ATS)
Tél. : (514) 873-4455
1-800-361-3795 (sans frais)

Index

1996 IMPÔT SUR LE REVENU DES RÉSIDENTS DU QUÉBEC				
	Provincial		Fédéral	
Revenu ($) imposable	Impôt	Taux (%) marginal	Impôt	Taux (%) marginal
9 000	126	19,38	374	14,71
14 000	1 095	21,42	1 109	14,71
23 000	3 023	23,46	2 432	14,71
29 590	4 569	23,46	3 401	22,49
31 000	4 900	24,61	3 718	22,49
50 000	9 576	25,68	7 991	22,49
52 625	10 250	26,40	8 582	22,49
59 180	11 981	26,40	10 056	25,09
62 200	12 778	26,40	10 814	26,54

Ce tableau ne tient compte d'aucun crédit d'impôt personnel, sauf le crédit personnel de base du contribuable. Le tableau tient compte, au Québec, des surtaxes de 5 % sur l'impôt à payer excédant 5 000 $ et 5 % additionnels sur l'impôt à payer excédant 10 000 $ ainsi que de la réduction d'impôt de 2 % de l'excédent de 10 000 $ sur l'impôt à payer avant les surtaxes mais après les crédits d'impôt non remboursables. Au fédéral, il tient compte de l'abattement pour les résidents du Québec de 16,5 %, des surtaxes de 3 % sur l'impôt fédéral de base et de 5 % sur l'impôt fédéral excédant 12 500 $.

À noter. Cette table d'imposition permet d'évaluer les montants d'impôt à payer sur votre revenu imposable. Elle permet également d'évaluer l'impôt à payer ou à payer en moins lorsqu'un revenu s'ajoute à votre revenu imposable ou en est soustrait. Vous retrouvez les données pertinentes à votre situation en considérant les données indiquées à la ligne correspondant au niveau de revenu inférieur le plus rapproché de votre revenu imposable. Par exemple, si votre revenu imposable est de 30 000 $, vous payez environ 7 970 $ (4 569 $ + 3 401 $) en impôt et payez en plus ou en moins 45,95 ¢ (23,46 ¢ + 22,49 ¢) d'impôt pour chaque dollar qui s'ajoute à votre revenu imposable ou en est soustrait.

1996 TAUX D'IMPÔT SUR LE REVENU DES RÉSIDENTS DU QUÉBEC (COMBINÉS PROVINCIAL ET FÉDÉRAL)			
Revenu ($) imposable	Taux (%) marginal Autres revenus	Taux (%) marginal Gain en capital	Taux (%) marginal Dividende reçu
9 000	34,09	25,56	16,88
14 000	36,13	27,09	19,43
23 000	38,17	28,62	21,98
29 590	45,95	34,46	31,72
31 000	47,10	35,32	32,60
50 000	48,17	36,13	33,94
56 625	48,89	36,67	34,50
59 180	51,49	38,61	37,74
62 200	52,94	39,70	38,72

Ces taux ne tiennent compte d'aucun crédit d'impôt personnel. Ils tiennent compte, au Québec, des surtaxes de 5% sur l'impôt à payer excédant 5 000$ et 5 % additionnels sur l'impôt à payer excédant 10 000 $ ainsi que de la réduction d'impôt de 2% de l'excédent de 10 000$ sur l'impôt à payer avant les surtaxes mais après les crédits d'impôt non remboursables. Au fédéral, ils tiennent compte de l'abattement pour les résidents du Québec de 16,5%, des surtaxes de 3% sur l'impôt fédéral de base et de 5% sur l'impôt fédéral excédant 12 500$.

À noter. Cette table d'imposition permet d'évaluer et de comparer les montants d'impôt à payer ou à payer en moins selon les différents types de revenus qui s'ajoutent à votre revenu imposable ou en sont soustraits. Vous retrouvez les données pertinentes à votre situation en considérant les données indiquées à la ligne correspondant au niveau de revenu inférieur le plus rapproché de votre revenu imposable. Par exemple, si votre revenu imposable est de 30 000 $, vous payez en plus ou en moins, pour chaque dollar qui s'ajoute à votre revenu imposable ou en est soustrait, les montants suivants d'impôt :

- 34,46¢ pour un revenu de gain en capital ;
- 31,72¢ pour un revenu de dividendes ;
- 46,95¢ pour tout autre type de revenu.

Chez le même éditeur

ACTIF

Collection *Vous et*

Vous et	*votre emploi*	14,95$
Vous et	*les successions*	14,95$
Vous et	*l'achat de votre maison*	14,95$
Vous et	*vos voisins*	14,95$
Vous et	*la Floride*	14,95$
Vous et	*les voyages*	14,95$
Vous et	*la vie à deux*	14,95$
Vous et	*votre automobile*	17,95$
Vous et	*vos impôts 1996-1997*	17,95$
Vous et	*et les privilèges de l'âge*	19,95$
Vous et	*et l'école*	14,95$
Vous et	*et la France*	19,95$
Vous et	*et votre santé*	17,95$
Vous et	*et la consommation*	17,95$

Ces prix sont sujets à changement sans préavis.
Disponibles en librairie ou chez l'éditeur

BON DE COMMANDE

QUANTITÉ	TITRE
_____	_____
_____	_____
_____	_____
_____	_____
_____	_____

FACTURER À :

Nom _____

Adresse _____

Bureau/apt _____

Ville _____

Province _____

Code postal _____

Tél. (   ) _____

EXPÉDIER À (si différent de facturer à) :

Nom _____

Adresse _____

Bureau _____

Ville _____

Province _____

Code postal _____

Tél. (   ) _____

POSTER À : ÉDIBEC INC.
2251, boul. Shevchenko
LaSalle (Québec) H8N 2Y8
Tél. : (514) 366-4436 Téléc. : (514) 366-4495

DATE : _____

SIGNATURE AUTORISÉE : _____

FONCTION : _____

Paiement par chèque, mandat poste
ou carte de crédit : ☐ Master Card   ☐ Visa

n° _____ exp. _____

NOTE : Ajoutez 3,50 $ par livre pour la TPS et les frais de
manutention et d'expédition.
N'oubliez pas d'insérer votre chèque ou mandat poste
dans l'enveloppe, s'il y a lieu. Merci !